劉福春・李怡 主編

民國文學珍稀文獻集成

第二輯

新詩舊集影印叢編　第64冊

【王統照卷】

這時代

華豐印刷公司 1933 年 3 月版

王統照　著

夜行集

上海：生活書店 1936 年 11 月版

王統照 著

花木蘭文化事業有限公司

國家圖書館出版品預行編目資料

這時代／夜行集／王統照　著 — 初版 — 新北市：花木蘭文化事業有限公司，2017〔民 106〕

122 面／172 面；19×26 公分

（民國文學珍稀文獻集成・第二輯・新詩舊集影印叢編　第 64 冊）

ISBN 978-986-485-151-5（套書精裝）

831.8　　106013764

ISBN-978-986-485-151-5

9 789864 851515

民國文學珍稀文獻集成・第二輯・新詩舊集影印叢編（51-85 冊）

第 64 冊

這時代
夜行集

著　者　王統照
主　編　劉福春、李怡
企　劃　首都師範大學中國詩歌研究中心
　　　　北京師範大學民國歷史文化與文學研究中心
　　　　（臺灣）政治大學民國歷史文化與文學研究中心
總編輯　杜潔祥
副總編輯　楊嘉樂
編　輯　許郁翎、王筑　美術編輯　陳逸婷
出　版　花木蘭文化事業有限公司
社　長　高小娟
聯絡地址　235 新北市中和區中安街七二號十三樓
　　　　電話：02-2923-1455／傳眞：02-2923-1452
網　址　http://www.huamulan.tw 信箱 hml 810518@gmail.com
印　刷　普羅文化出版廣告事業
初　版　2017 年 9 月
定　價　第二輯 51-85 冊（精裝）新台幣 88,000 元

這時代

王統照 著

華豐印刷公司印刷，一九三三年三月出版。原書三十二開。

這時代

王統照 作

這時代，火与血燒洗着城市与鄉村的屍骸。
古舊的樹木被砍以，榮華再不能夭矯以態。
金屬碎的砲聲，長久、長久，征服了安靜的田園，
沈落在洪流中，波瀾壯闊、融合着起伏的怜愛。

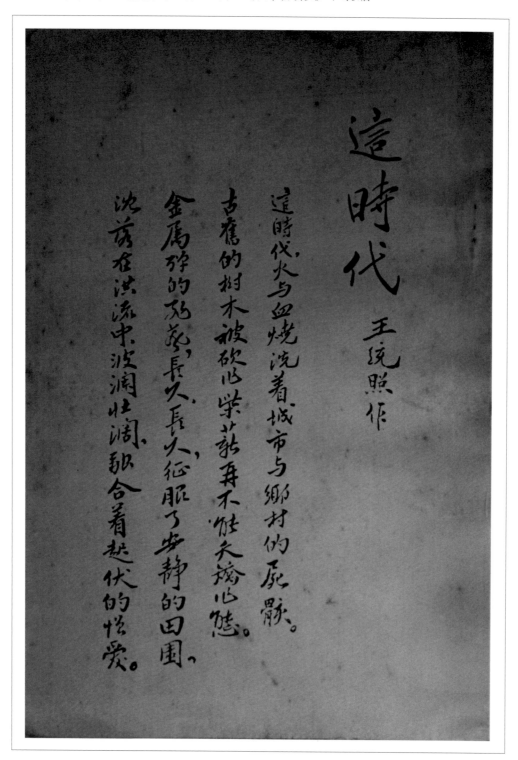

王統照著

這時代

（詩集）

目錄

第一輯

第二輯

第一輯

中間

中間

我徘徊在榛莽的中間，
覆盆子與野山楂的幽香，
黃昏中淡暈的青光，
還接續着聽見雲中的音樂悠悶。

這聲音，這色彩，這等嗅感，
我遊行中的靈魂微顫，
我夢裏的幻花重現。
太空中只餘下衆星點點。

但，人間，人間的哀鳴猶在耳邊，
小羊兒的凄歌留在巉巖，
夜螢的明翼腐在草間，
是誰遺與我這弱光一線？
白熱的心火搖燄，
彷彿要將世界來全行化燃！
我暫時只願徘徊在榛莽中間，
直待到宇宙的根盤重翻重轉！

一九二四，仲春。

2

道旁

飛影般的疾過，只匆匆數語
頓使我低首悽悒！——
悽悒！忽見道旁的皮兜下罩
的黑餓臉兒從鎗尖的明光中向我注視。

滿地風沙，將陽輝掩翳，蒙蔽，
多象的人間……都聚到眼底。
恐怖，戰慄，空餘下心波翻覆，
他（主宰者）安排就「帝網」重重向人間覆住，

待向何處去？
黑暗中的魔鬼方在嚙齒，
伸爪，——用權威破壞着一切，
……況添上道旁惆悵的疾遇！

吹散的斷蓬，哀號的墮枝，
都有牠們的「人間世」—
作着一個人的中夜沈思，
靜聽着微紅爐火的畢剝，剝畢，

碎影重現於心幕，
那道旁微語似在噴在訴，

4

但，朋友，你認識那些
從鎗尖中透過來的眼光威厲！

頓使我低首悽愴！——
聽萬有驚號，喊泣，力之廹逼。
待向何處去？——這寂寞，冷戰的長夜……道旁囘憶！
空伴着爐火的畢剝，剝畢，

一九二四，十一，二二夜。

夜歸

那黑影，那黑影的漲騰；
那黑影，那黑影的奔逐，
電桿下狹道修長，夜霧暗擁。

那黑影，那黑影的飛迅；
那黑影，那黑影的恐怖，
慘映着在風雪冷夜中的歸魂。

果似舊夢的重溫：
無用的低戀，沈吟，仰望沒了明光的星斗。

6

遠遠的遠遠的那暗空漸漸消沈。

果似地獄的火柱全焚：
青光的火焰將鍊鐵鎔化，肉體焦烙，
地心中噴發出眯目的烟塵。

果似魔鬼從樂園下殞：
跳動着狂歡的死之舞蹈，
是慘淡的生命的誘引。

歸來，衝不破這黯黯的世界。
歸來，抑壓住惴慄的悲哀！

一回遲疑，空留下心頭怦躍，
朔風中，驚啼着一聲鴟梟。
歸來，可曾懺悔那奔逐的疲怠？
歸來，夢中——拏一把虛空；醒後——沒一點雲彩。
只見狹道修長，夜霧暗映，
有一個黑影迅走着散布驚恐！

8

彳亍

彳亍，彳亍，我昨夜夢入幽谷。
似塗銀的月色迸散清光
輕烟早遮了歸鴉輕飛的翅膀。
縈繞在你與我的足下，亂流濺玉。

彳亍，彳亍，心幕中如影顫紅燭。
歸去，風淒；前去，路迷，
霜夜裏射過來一支冷箭，
打滅了心上的微光更無覓處！

彳亍，彳亍，人間世的榮枯，往復。
幽谷中空留下足印的淡痕，
亂流中怎能將靈魂的鏡子拾取！
彳亍……是誰曾找到人生的前路？

10

榮幸

榮幸啊，折却你的高飛雙翼，
丟在秋林中同敗葉旋舞。
榮幸啊，毀却你的金冠，
荆棘根下撥合了泥土。
榮幸啊，洗清你的心版，
今後，再不着一字的痕迹。

陶醉中的清醒，
激憤中的克服。
放牠去吧，在歸夢中還容你回憶？

在雲片中要怎樣擷取?
榮幸,——天寵的孩子!
已埋在薔薇花前的鋤底!

12

綠海（紀柳峯之遊）

是從秋田中蒸發出的雲彩?
是從朝日初照裏渲染過的碧濤?
團聚，凝散，迴蕩，飄颻，
在無邊綠色霧團中抱住這片「林海。」

深谷中啼倦了的鳥聲，餘音悠渺。
殘壘上有破額的鉄鴟，形態猙獰
俯看萬木交織成翠絲之網，——網裏一綫薄明
那不是由海畔歸來的漁人小道?

保存着人間的紛爭，成與敗，
只餘下狂浪吞蝕後的孤島。
終古是皎月夕升，紅光晨照，
更何從驚醒過這「林海」胸上沈睡的嬰孩！

我佇立在綠「林海」的輕濤上，靜觀
烟，雲，波，鳥迴旋，流，聚，無時停息。
誰來問世上何時，人間何世？
恰似失舵的飄舟，讓牠去自尋彼岸。

一九二五，一月回憶作。

14

嬰孩的旅程

風與沙遮蔽了遙遠的道路，
飛蝗般的，細雨般的，迷蒙，紛集。
焦急的憂心，迫壓的身體，晴明何在？
安舒何地？——只悶苦了車箱中的嬰孩！

故園中柔碧的草苗；綠楊中嬌鳴的雀兒；
溫暖歡欣，母親的乳底！——
是誰將你領上了這修長的征途？……風沙交拂。
哭碎了可憐兒的小心，誰曾念顧？

15

雪亮的槍刺，凶橫的厲目，……道旁誰洒下的血污？
你驚疑，恐怖？……早哪！
前路上正滿伏着火坑，蒺藜，
嗚，嗚，……一聲聲汽笛將你的命運載去。

味道兒確是初嘗！但孩子，……這正是亙古不滅的畫圖。
你瞧！天那邊虹彩映晃的是甚麼玩意？
不可知的，隱秘的，遙遙的，在你爛熳的小心中；在這蛇行
的輪底。——
誘惑？期冀？——總是個造苦的孩子！
仔細！別攀上冰冷的鐵窗檻？

安靜！別瞧那露出髑髏的墳窖？
你如果不信從你生來的命運，——
哭着，想着，恨恚而又喜盼，——大膽的在這奇怪的征途
上試看一看！

十四，二，二四。

道聽

——在津浦道中——

（一）

「媽的，最受苦的莫過於他們，可是說起他們的橫勁眞也令人撻到牙根！

「小嗎？你別聽我當了三年的營混；——十七歲了——甚麼槍把子的地方沒有走過？却全伙了腰硬！

「烟土，自來得，多麼好的交易！每桿帶到天津，可賺四十元洋銀。……

「馬廠——馬廠眞是個破窰廠，走不到三天踏破了婊子的門。一百塊値得幾夜，……誰曾帶得回家去？……

18

『列位！停想：每天搖晃着腦袋，……掙來的好容易不開
開心？……』

（二）

『你是那一隊那一軍？怎麼這樣的窮打扮，失了當軍人
的身分？……我們是幹麼的？爲甚麼受那鳥的不中聽！……
……』
『我是第幾師的直軍，……沒錢又沒運！護照，票兒，都沒
得半分，忍着氣，……誰教咱，……』
『傻小子！若是他向我查票，……敢嗎？一邊一隻耳光教
他嚐嚐新。』

（三）

『請坐！哈哈，走路都是一家人，……一家人，聽你說也是

老出門嘅！清清楚楚的南京城，麼勁？一個戲院子十天總有七八天閉了音。

『是嗎！上海，天津，刮刮叫的地方，到處裏都如意稱心南京城的花姑娘，專門在旅館裏上勁，不耐煩一夜還要十二塊洋元

『那城內一曲河水，臭得難聞一頭淘米，一頭倒糞，媽的，不是地廠，……人鬼不分！……』

（四）

『梅五，虎頭恰恰多一點，……甚麼閉十？……小子？大概睡昏

『五十個子的注，……不一塊錢的。……咱就是不會臉紅抓耳你呀，……旅館裏一夜包管你輸得火燒頭皮。』

20

「看！看！洋錢全輸，這算那末一回事！這隻金錶還可以，值
得舒服」

「你的東西拿來的不痛，敢情留當着人前作鬼弊」

「管得了麼！輸家却不依，笨東西眞不長依」，

「打死你這混種兒！……不要說你；……旅長向我說話
還得仔細……」

（五）

「唉唉！你看我現在當差執政府，多麼齊整的長袍肥衣！
……記得

「三年前的春日：落岱一戰幾乎丟掉了骸骨，兩夜裏的
兄弟們，搶，殺姦擄，……

「那纔是凶勁哪！……到末後火車頭上逃回，……連師

長也弄了一身的泥土。
「河上，……橋下，死屍的赤睛暴露，……死了還不知足！
……是麼玩意？……今日的戰友，明日的戰敵，……過嫣
的甚麼日子！………」

十四，二，二三。

22

更何從

更何從祈求，凝想，——在秋星下，
　葉聲下，燈影下，追逐着夢痕的悵惘？
更何從抓得住，拾得起，——那苦澀的，
　辛勞的，煩膩的人生的偶遇？

讓牠去罷，這悵惘
　消逝在薄靄中的殘光，
讓牠去罷，留戀着偶遇
　遲誤了人間的春暮！

眼前是血染的荆棘，
　大道中鋪滿了鉄刺。
怯懦，你空費了自己的彷徨，
　有一天，要咬住心痛向上踏步。

黃昏中微微搖動的殘光，
　曾經一度失路的人生的彷徨！
我勇敢地深謝那誘惑的溫慰，
　有怨啊！誰能永遠留在這悽悽的道旁！

24

默

聽那道旁的柔草，
　挨肩密語；
聽那澗石上的微風，
　悽咽低泣。
我只有默默地立在斜陽的沈光裏：
望白雲輕掠，松枝輕拂。
山亭下烟圍霧聚。
　像魔網將「自然」罩翳。
誰敢决破這片密點的網羅？

是包覆着難猜的幽祕？

但如今只有默然了！

依舊的一切，——可難覓到舊遊的足跡！

是誰已決破了這片密點的網羅？

向那些重疊的迢遙的樓閣中將明光投入。

更何從將幽祕現出，——

或有甜潤的泉流，或是仙人的寶窟？

在其中，更引起延佇，躊躇，

足跡湮沉了！——要從何處尋起？

26

挨肩密語，——道旁的柔草。
悽咽低泣，——澗石上的微風。
我只有默默了！
——那山亭下的烟團霧聚。……

牧羊兒

「先消停吹唱出你那戀歌兒，
牧羊兒！——看這雨斜風淒！噯！這黃昏的客程中，教我
向何方投宿？
將你的短笛收起，
牧羊兒，請你告訴我留宿的旅途，今夕！」

「旅客呀！你來看這片碧芊芊的藜芽地：
恰似龍女織的綠絨衣，
我要酣睡到明朝，到後夕，到織女星兒在夜午升出，
倘若不怕這風風雨雨，散着髮兒來到此地，伊！……」

28

「良辰吉日，好幸福的小哥兒！
但這無情的春夕，你看我溼透了簑衣，
撐破了傘兒，——故鄉迢遞！
請你告訴我歸宿的旅途，今夕！
請你告訴我歸宿的旅途，今夕！」

「北斗星兒直向東方斜了，
那時候：如明珠的露滴沾溼了金雀花的柔枝，伊要從
那鳴玉的澗旁走出；——飄拂的白衣，
飄拂的白衣，全摺攏在我的懷裏，
酣睡，睡酣，直到陽光由西方升起，

——呀！旅客！你不要憂疑！
你看這片芊芊的藜芽地，
憩一憩足，憩一憩足，——你且聽我唱一支烏羽白的歌
曲。
『歸宿的旅途？
看這樣美麗的春夕．這樣介人沈醉的天氣，不去也罷！
野桃花的清香，野塘水流的細語，
你爲何這麼悽迷，心性兒焦急？
且待一晌，衆星出，衆星出
伊的白衣飄拂在峽谷的榛樹蔭底，
歸途，今夕？且待伊來時，你再問個仔細；
我不知，我不知，我只記得天上北斗星的移時。……』

好難捉到的！

（1）

可愛的短髮齊肩的玉妞在聚陰窗下習字：
一勾一點，費力顫動她那小手兒。
「這可總是夠淘氣！偏要用心卻偏寫不成樣子！
——頂難寫的是這個字，……這一彎，這一轉，噯，怎麼
點也點不到當中去？」
我放下了囂俄做的哀史，
走到了窗前正看見她擠着小眼兒，蹙了眉頭，
在寫那個簡單而別致的「心」字。
「好難寫呀！你好好用你的心眼，越學會了書法，越難

31

把這一個字兒寫的教人看得起！……』我無意地這樣
說出。

（2）

有一天，淒淒涼涼的秋日，
我一個人向海濱行來，去探望我童年的茅屋。
山道旁遇着一個鄉村雕刻師，
我買了他幾件小小的玩意，——內中有一個是桃核刻
成的人「心」
他說：『過路的客人你高明的眼力！單檢了這件我精心
製成的物事。
費了我幾年的工夫，終沒曾將牠刻得不偏不倚，——好
難刻的「心」的形式！』

他說罷了話後，向蒼冥的暮靄中走去.

（3）

晚烟中幾家漁戶：
打網，補帆，煮酒，悠然自適。
還有一個十七八歲的女孩子，在那裏剖洗一條銀魚。
她將一條已死的魚體翻來覆去.
「找甚麼東西？難道你們將牠吞下肚去還有那樣不足？」
我冒昧地問了，
「先生！我不想吃牠的鮮肉，剝牠的明鱗，抽牠的刺骨
——我只要找到她的「心」兒！好難捉到呵！翻轉了牠
的肚腸，還沒有捉着呢！……」
好難寫的，好難刻的，好難捉的，…………」我凄然無語！

大野中的明月

蕩蕩地推捲開那一片陰霾，
雲彩，皎空中閃出她素影的纖娟。
深夜中的灝氣將大野潤遍，靜無
聲，獨有山川處的明星閃閃。

淡銀光合成的融化的
世界，遠浮的岩嶢，近映的陌阡。
沒有弄影的繁花，沒有隔影的密幙
翳蔽，不盡的平蕪被一層銀光淡掩。

34

我徘徊在空明的野中；我獨啜着這戀人之光淚痕潸潸！
這「靜」的幽綿，「生」的煩倦，這「惆悵」的銀烟！
行樂處啊是「瓊樓玉宇？」是人間！是人間！
是人間：：有清輝的春夜纏綿。

是幽夢的簫聲？向記憶的邊緣裏
衕聲，難安！
是山頭上的夜鶯悽叫？對怕羞的夜月
宛轉，留連。
是石齒下的輕音？在心頭上滴流涓涓！
我徘徊在空明的野中，：：這「靜」的幽綿，這「生」
的煩倦！

這看不分明的「惆悵」的銀烟！
大野中的明月織成了深夜的淡網，
依舊將空明遮掩。我願沈眠在銀光的網中，
永遠，永遠，……
那是安靜的人間！——是安靜的人間？

36

這樣「生」下去

就是札了刀鋒的心胸，呷了砒毒的酒漿，這樣「生」下
去！
固然可以嘗到苦痛與腐蝕的意味，
其奈「死」尙在曠野中徘徊不近呢！
淒風在蘆荻中蕭蕭，
幽咽的笛聲在平波中繚繞，
這近於死的曼聲却還在我們身後緊追着不曾捨去
「他」有一日將染血的尖鋒從你胸前取去，要將你腔內
的愛血灑遍人間；
「他」有一日將腐蝕的毒漿從你的骨骸中灑出，更培長

那個荒墓上的紅心草
這便是你不死的曼聲更在作第二次的哀鳴。

「他」每天歡喜將智果送到你的口中來，
一邊他便將法繩來縛住你這不幸的囚徒；
但待到法繩斷時，

「他」只有According想無大的面孔向宇宙微笑！
下面有火柱的地獄中紅光飛騰，
去吧！孩子吃了智果去投入情燄。

坐在火柱頭上的人兒，
他只能幽幽的哀唱，

38

不死的曼聲還在宛轉，
這纔是「生」在作祟呢！
他一生徘徊於曠野，
在那裏曾遇過白衣使者」

愛血在人間揮灑，毒漿也灌到人人的腸胃，
好利害的一場活劇呀！
「他」又扳起無大的面孔向宇宙微笑了！
蘆中的聲蕭蕭，
波上的聲繚繞，
而「死」總還在曠野中徘徊不近呢！

山中月夜

你仰看：
松波的顫影，峯尖的崢嶸。
你俯看：
銀紋的瀅定，橫柯的搖動。
這寂歷的空山全沈入睡境；
這白石的橫橋靜臥在空明；
這依偎的瘦影無語相並。
浮世中的合遇誰能前定？
靜夜中的宇宙是人間的華榮？

40

深林中發散着夜之幽香，
濛濛蔽空的白網包圍住兩個生命

淡銀色的明明；遙青色的冥冥，
更有在西方微笑的一顆明星，
射一道幽祕的輝光——
只滲化了夜來時的密夢

大地，河，山，如「曇花」的閃影？
更何論這可憐無知的「微弱！」
但柔髮的浮香，飄動；圓語是藏在夜風，
今夕何夕？羣峯，密林，青空，月明！

你仰看：
松波的顫影，峯尖的崢嶸。
你俯看：
銀紋的澹定，橫柯的搖動。
這寂歷的空山全沈入睡境；
這白石的橫橋靜臥在空明；
這依偎的瘦影無語相並。

一九二五，四月。

夜聲

淡雲在空中蕩逐，松針在綠濤裏爭鳴，
有求侶的羔羊，有織情的夜鶯
夜氣包圍住爭鬥，和平，——與春之華榮。
如睡的四山中傳過來的聲聲。

迷濛烟靄遮斷了一山峯一山峯
那蜿蜒在下的是從來的曲徑；
那溫柔如夢的是飛來的月明；
蕩得這樣悠，這樣遠，這樣淒動是那寺的鐘聲？

薄明中，凝望着這奇博的宇宙流行，
絕壁，深澗，參天似的古柯蔽影
是匆匆聚散的人世遭逢，
「無盡的如此，」打中了心頭微動！
「無盡的如此，」打中了心頭微動！
不須更覓將來的足迹，且聽這春夜的空山聲聲
並立於中夜的峯頂，
是匆匆聚散的人世遭逢！

一九二五四，八日之夕。

44

長城之巔

叢合迴抱中的輝凝霧集，
絳褐色交織下的犖峯逶迤。
要掩却這古壘殘基頹傾谷底，
終擲不破混沌的宇宙中的殘粒。

是戰士的血跡般斑？是「英雄」的偉心陶鑄？
天風獵獵，吹起了你的裳衣我的裳衣。
傾一盃金色的酒汁向蒼茫奠意，
看，陰雲騰飛；聽，磬中回響，——在空堡上獨立。

哭聲裂破了嬌喉，磚石壓折了鐵臂；
露骨萬千人，建石幾千里，——山麓上的羊鳴三隻兩隻。
這難破的「英雄」夢謎；這不盡的生力的觸擊；
這無從解答的天地偉奇。天風獵獵，吹醒了我們的悵思！
迷茫的浩蕩的世界奇蹟——飛影，幻畫，在眼前呈露
是誰說人生未有窮期？是我在牆陰下望飛雲幽悒！
天風獵獵，吹起了我的裳衣，你的裳衣
天空中的羊鳴三隻，兩隻，知欲歸何處？

『寶寶！你莫號！』

『寶寶！你莫號！還不算冷的天氣，
　恰好在九月梢
你娘還穿的破單旗袍。你瞧，
這麼明，這麼高，
那溫和的織女星兒還在天河邊搖，笑。

『寶寶！自從你爹過黃河橋，算他的「水漲
船高，』有的是牌九，白酒，擄來的女嬌嬌。
他不是心腸硬吃虧在胆量不小！
殺頭的戲法變了多少？

47

那一個男子漢曾向回頭瞧！
「寶寶！噢噢！一天得不到飯湯半瓢，
那怪你吃了奶汁便苦着叫！
你，你！看玻璃鏡子裏擺的山，塔，
全是細粉花糖捏弄成的餅糕」
好玩意！不是能吃，只哄你個飽！
「寶寶！命苦誰也不向運數裏求逃！
還念想他，那樣有法無天沒下稍！
寶寶！這青石街頭預備皮靴走，不是
爲你睡覺，冰壞了小肚子，……向誰討饒？

48

寶寶！黃河橋！……殺人的刀！……看明月升上
屋了！聽聽！這馬聲，更聲，更那裏來的鑼鼓喧鬧？」

烈風雷雨

突喊，哭躍，悲哀極度的舞蹈，「血脈債與」的狂歌；揮動着，旋轉着那些表現熱情的燦爛的千萬個旗幟；震吼着，嘶啞着那爲苦悶窒破了的喉嚨；鼓蕩起，冲發起，吹噓起平地的狂飆橫瀾……呵！呵！這不是任那萬頭攢動中的精誠！呵！呵！這不是在那幽闇地獄中的火光明燿。這如醉如狂的，舉動與聲音，正像從刀斧手下脫逃出來的無數囚徒，赤手光膊與豺猫的「伍伯」作最後的爭鬥。激發的，熱化的火燄已燒透了我們的心臟，我們不能再正襟叉手在良時中閑磕牙；我們也不能安安靜靜地在「隴上輟耕」唱着「月兒光光」的歌曲。

大空中射來了一支毒箭，使人們都中了「狂疾。」
朋友們人生的活劇便是在「狂疾」中的揮發與掙扎！
只是優游而不去呼喚；只是逍遙而不能憤怒；只閑揮涕淚而不去一試刀劍的鋭鋒，這是多末卑屈柔荏的生活！
……但因此便發生了這不可平息的「狂疾，」然後可以創造出開闢出是容得我們盤桓的快樂的花園，然後可以有雍容安暇的時光夠我們去消遣而「狂疾」一日不好，你便須一日與狂魔相激鬥！……這纔是人生活劇的眞趣味，眞表現，眞精神！

黯陰的空中只有層疊與馳逐的灰雲：那深墨的，那灰白的，那如鉛筆畫幅上烘染的，如打輸了交手戰的武士的面色的，如晶亮的薄刃上着了一層血銹的部分，如女人失眠後的眼角的青暈，低沈下多少慘惻的哀意，都由那灰色層雲中瀰滿了我們的心頭！

捲地的狂飆，爽利的冰雹，傾落的驟雨，震驚的疾雷，呵呵！萬千鐵甲中的金鼓的鳴聲，無量數的健兒吶喊，看啊！葱綠的樹木也不在慢舞纖腰了；坦平的道路也不能任人家自由踏踐了，只有淋漓下的悲壯的高調曲音，從地獄的中心隨了飛來的霹靂喝磕，喊動；——喊動這已死的地球上安睡着的嬰孩！

不要安靜的！不需安靜的！我們要實現吐火的夢境我們要撞碎血鑄的洪鐘，我們要用這金蛇般的電光逼射出激動的光亮，要用震破大地的雷霆來擊散陰霾。這

樣情熱的當中，豈容得躊躕，恐怖！這疾風暴雨的日子裏，
正是狂歌起舞的時間！爲要求明如日星的生活，爲要求
燦如朝花的將來，我們便情願狂醉；情願在水火中相搏
戰；情願將此混沌的世界來重行踏反，重行鎔化，重行陶
鑄！

好劇烈的一場烈風雷雨！……
好快活的人生的活劇！……
好一曲悲壯的歌聲，那餘音哀厲是永遠長存在人
人的心中！

一九二五，六月五日，中夜，爲五卅事變作。

54

詩思泛起

兩年來不願作詩了，
但自從在綠渉徑下的初別後
便覺得詩思泛起。

不眠的燈暈下對鏡自視，
羞呵！一個意志多柔弱的男兒！

徘徊在烈日炙着的船板上，
指點着如攢竹般的木桅，
一幅妙畫呀，——不願回顧。

無語的低語似是眉痕吧！
但無語的認識還是難於形容的波痕微動。
奇遇嗎？我自已都疑惑了，
匆匆地急談，稠人中的相遇，
然而我感到了；——這終是非言語所能說的。
何至於便難安眠，過於激動吧？
燈光溫靜地，
況更有夜雨輕滴。

56

成正在輕繫微笑的夢中呵！
想來枕上的髮是委下了，
輕鬆的悵意。

人生原是不相識，人生自有眞相識！
誰能解答？
卽使是詩，也早消失了牠的妙威力了，

最難忘的是別離；最不明白的是初會時的別離，
不好笑嗎，
這等思想的癡妄呵！

不應該呵，又那是應該的？
只有請你當一首買來的短詩讀吧，
雖有感受，倘或不能動氣！

七月九日夜中在微雨的燈下寫意。

夜之煩擾

曾爲不眠而受苦的夜之煩擾
　重新犯了!
繚曲的心;重疊的憶;不盡的反覆,
　似落潮低嘯。
脫掉夢的魔衣,靜聽着
　萬籟幽悄。
夜深呵!獨個兒在綠影的燈前默默無語。
蟬兒未嘶,蟲兒未叫,
一家人都在睡鄉中逍遙。

我何爲者？
我何爲者？
夜深呵！沈不住這苦悶的夜氣，
室中迴繞。
是甜味的餘甘？是酸感的失掉？
開窗獨眺，
只迷濛地一夜漫空微雨！
微雨的夜之鐘聲傳來了平和的安意，
但人間的感受，染，執，
如何去得？
如何棄置？

60

聽清響的聲聲引起了我心頭上的歎息!
嘗夠了爲感受而來的辛苦!
消盡了在纏綿底下的意志!
詩的幻境;飛烟般的前蹤,
在靈魂藏處印下了多少的餘迹!
恚恨麽?
否,也曾在委曲的心情中討些歡喜!
吐不出;忍不住;欲抛還握;方來卽去,
這便是人生之謎呵!
我一生只流蕩在這謎面吧?

61

否，還直沈沒於這「謎海」的深處？
如媚眼的柔波；如誘引的海衣；如輕風的低語，
我從來早已認識，——我丟不下這無邊緣的記憶！

雨夜不眠未免是可惱的事，
而抑迫的心懷能使我寫一首呼訴的詩。
夠了，是表演出生活劇中擬想的一齣。
　不過如此阿，
除此外，我何從找到一句答語！

十七，七月九日中夜。

（攙入幾句文言作詩一首，雖也有新意，終嫌其帶點扭扭揑揑氣）

62

盧之湖中

翠環放在碧玉盤中，
　白烟騰上繁陰的樹頂。
倒浸着山影——掠過舟橫，
微風蕩破了這森森的靜境。

幽曲的深谷，叢枝修竹沒入了冥濛。
　來時路，隔山遙望着姥子上的火峯。
地獄過去了，只是醉人的色與光，與波相衝。
這四圍沈沈地恬靜的是綠光浮動。

指點着那白帔女郎獨立在澄空；
輕輕地間詢着這碧波下流葬的鴛鴦幽夢。
這裏沒有嘈雜的管絃與搖泛的船燈，
驚不破那含怨的幽靈晚訴衷情。（湖中時有情死者）

爲時間空間造物曾留下了多少的裂縫？
將苦，樂，生，死，愛與怨，攪起了春與秋的波濤洶湧。
偏爲此，——他安排了引誘你的美酒佳城，
來呵！不見那白帔獨立的仙人點首相迎！

十七，九，八日回憶。

「白烟」「白帔女郎」皆指富士山最高峯。
大涌谷的噴大口，日人呼爲地獄。

宮之下的石橋飛瀑

這石橋，飛瀑我不是初次相識！
在月靜風柔；在四山銀露；在鐘聲夜度——
一個曾經凄戀的夢境
證實！——在橋上不覺得沾溼了一身細雨！

十七，九，八日回憶。

夜行道中

（一）

冷冰冰清月移出山頂，
幽夜中迸射着淡露濛濛。
沙徑上歸去獨行者的身影！
沙徑上歸去獨行者的身影！
遺留下微感於——徘徊；
　意念於——奔騰。

（二）

聽西風低唱着「落葉幽曲」之聲聲，
暗濤向崩岸亂石重疊掠碰。

66

秋夜中預備了萬籟吹動！
秋夜中預備了萬籟吹動！
警覺起睡鴉在——凄鳴；
暗螢在——閃映，

（三）

在時間激流中人人都迷失了舊夢，
沈重的寂默的暗裏沸騰。
旅程裏乾盡了青春的酒盅！
旅程事乾盡了青春的酒盅！
惆悵着苦愛付——辜負；
強歡付——憧憬，

（四）

枯乾的宇宙空殼還忍着冷凍，
從「未來」再找回春暖溫融。
夢想中莫忘了「春」的新生！
夢想中莫忘了「春」的新生！
相贈與朝花常——溫馨；
皎月常——光明。

十七，八月。

轎夫的話（勞山道中）

『先生！……你看這荒山薄嶺，瓢大的地，碗大的田，
在亂石與山溝裏纔有人煙。
就是扛轎，砍柴，靠山吃山。
那裏來你們吃絮了的白米麵？

『先生……這地瓜乾兒味道眞不惡！
包管你一口都不能嚼！
去年咯，一秋大雨冲滾了沙窩，
連這點東西充飢也撈不着。

「．先生，人家都說這個地方的風俗令人心傷，
陪人睡的妻，女就在村場。
誰知道這窮地方一個銅子來自何方？
眞是哪，「富人不懂得窮人慌！」

「可是呀，……先生，有一樁事兒比城裏的人來得強
你猜！那個山莊裏也有八九十歲的老娘，
喝着泉水，吃的瓜乾，幷沒有米肉能嘗。
先生，——空活了大年紀又待怎樣？……」

十七，七，十五。

石堆前的幻夢

悄悄的風陣掀起幻美的海波歟映，
將暗中的柔光遞與那空河畔的遊星。
　輕軟夜幕靜罩住山林，幽草，與僻道上的明燈，
用迷濛的情思織成了人間辛苦的夏夜浮夢。
聽：大街上正奏着動人聽感的迷樂叮東，
粉香，髮味，透體的絲羅下女人們肉的顫動。
　陶醉的冽酒，「仙使」般的纖足，慘綠室中的「人形，」
欲的追求，佔有力的噴湧，妬的情懷，與野獸似的抱擁。

閃：水上怪物的品眼明尖；窗前風馳電閃的車行。
高樓上裂出尖調的胡琴，沿道旁薰發出餚饌的香騰。
　都市中的藝術，都市中的文化，都市中夜的妙景，
忘却了你與我，忘却了悲哀與慘痛，更忘却了這世界的
　搏成！
夜幕下只有一個中年男子的幻夢；他的幻夢消滅了一
　切憧憬，
他沉沒在汗污的破藍衣包裹住強韌筋肉與風裂日晒
　的皮膚之中。
他木強的頭顱無哲理，無幽默，無戀愛，更沒有康德與但
丁！

72

在白日裏只是肉體的機械供有福的人們利用，
牠生銹無油，在「力」與「能」的揮發裏不曾有過過
分的悲聲！

沒落的人只有意識下的一夢浮現在無拘礙的夜空，
他身旁的石堆依然是尖削崢嶸。
他看守這未穿華衣的大廈，却是他手造的兒童，
這兒童裂開大口正在冷笑他的運命！

斜月正射着海邊茅屋，
沙徑旁樹葉通沐着清露。
是漁村畔的春夜黎明時光，

一聲雞鳴叫醒了這圓球的浮蕩。
披上短衣，趁月光在冷竈上
硬吃過隔夜的乾薯，
一根楊木，一捲單褥，還有一個燙熱的瓦壺。
出門去！不會做親吻，受訓的禮儀，
海岸旁只有同灰髮的媽，抱乳的妻，
赤體的孩子互相呆視。
出門去！前路上是一片迷濛，一陣陰溼，
這微明之光與鬱發的草氣配合着
輕濤哭訴。燒餘下的窮村尚露着
強支的瘦骨，沖毀了的沙隄，不生長的磽土。
荒涼的柞樹村中這一年添了多少新土？——新土遮埋了

應死的窮奴，刀與火，鎗刺與鞭笞，
榨盡了汗血，他們都早歸「樂域！」
即是鬼魂也不能更向人間哭訴！
出門去！晨星三五引導他走上征途。
柴扉外的家人早被濃密的朝露遮住。
爲了口腹，爲了一家的號哭，別了鄉村！
可咀咒的鄉村！將健壯的身子投
擲到酷冷迷熱的都會中去。
在那裏憧憬着金彩的幻光，
活躍的力趣，可以吞納這窮困的生軀。
別了鄉村！他沒有詩人的幽心，科學者的意識，
曲澗，楓林，道旁蒙茸的草露

引動起靈的心，實證的分析；却不
能飽滿了這一個黧黑少年的飢腹！

軋軋軋，力的機。浩浩浩，水的面。
煤屑飛塵，
腥臭汚汗，
嬌女的揚巾，紙繩的牽攔。
黑氣逼於晴空，
呼聲悶在石畔。
中有少年——
中有爲一頓大餅而果腹的少年。
赤了紫銅色的臂膊，他在流連，

流連！肩上是二百斤的重擔！
他月光中也收過婦女們裊娜妖媚的姿態，
也印上了紳士們的白領長衫。
另一世界啊！他們應分是地上遊仙，
有發掘出的金寶，有他人造成的綢絹，有宰割一切的食餐。
天然是他們應享的利權。
一個個的米包，一圈圈的煉鉛，一塊塊的牛肩，
神聖的生活？奴隸的表現？
汗與力揮發出近代都市文明的眞面！
他來回於鐵的巨物的起重機前；
海流滔滔，機聲鎝鎝，

且慢欣賞這機械下的自然！
那一旁有吃他們的米糧的人們在舞着藤鞭。
看慣了一樣運命的鄰家奴；
爭前！爭前！如瘋似的擁上帝國者的汽船。
人們在上層甲板，俯視，「啊支那的威權！支那人的大
觀！」——
墜了銅鐶，扯了布衫，喧叫啼泣的悲聲誰曾聞見？
失落在碧流中，臥倒在熱石面，僥倖啊！
是誰着了「先鞭？」
中有少年！
肩上的重貨也在抖顫！他回想那地獄的故鄉，
那餓鬼們都一般，一般！

他再不敢抱怨爲人牛馬的煩寃與可怕的棒與鞭，不是麼？人家還給他一口剩飯！

瀝青油的街市中炎日毒薰，
雜沓的車馬飛奔，飛奔。
這中間有東方文明的『膠皮雙輪，』
草鞋藍衣的兄弟們與騾馬同親。
人造的器具，——金錢下的魔法，
風雨的襲擊，「神聖」的靈文。
在汽輪下宛轉逃生，在雅麗的士女中逡巡，
是現社會下的傭奴？否，是古國的都市重新。
他套上藤繩，曾拖過文明驕子的種族，

78

曾拖過他的東鄰，汚衣討飯的白黨，狂飲濫嫖的美軍。
「打倒！打倒！服務！服務！」
總之是一切恥辱者更恥辱的低級人！
白羅衫口，臂部肥潤；紅花領帶，飄掩雙襟。
鐵的細管在巨手中威武，輕小羽扇媚掩重點的紅唇。
都在他背上跳動，在他眼中眩暈！
華衣，軟輪，高巍美麗的建築，
却一絲毫不會沾潤到他跑步的窮身！
出門啊，一件破衣，一雙穿履。
歸去啊，一身疲憊，一片草茵
在明燈華座中正高談着「人生學術；」
會議廳中正敷衍着「人生條陳；」

80

在露星的屋角，隱僻的街道上却有他們這類的生物呻吟！吟！
呻吟！他沒敢作思想的過分，他是溫馴的聽命於命運之神！

多方的生活纔有趣？
多方的鑒賞纔滿足。
於是他離開碼頭，丟了「膠皮，」
他着手作層層階級下的建築。
原來建築歷史的階級，
也是他們墊底，幾千年中與土沙同腐。
「偉大！偉大！」高山上的長城，——「大秦」遺跡；

「輪奐！輪奐！」歷代的宮，陵，殿，陛，
是一手一足之力？
是啊！是你一手我一腳，壘壘，抛擲。
憑弔，遊覽，撫今，懷古，
誰又曾聽到下面的寃魂幽泣！
變幻了名條，更易了時世，人類的本性難移？
他不知道這些甚深微妙，他只為現時的枯腸填滿去担
　土堆石。
「順乎自然，無聲無息，努力！努力！」更不待他人的讚揚
　與揶揄。
用血汗打成了地基，用精力壘成了牆壁。
報紙上正熱鬧着此地大廈將成，是我們唯一的雄峨建

82

築！
大舞場，大影院，……將來的幽雅與華麗！
然而手造這厨樓的人們夢也不知！
壓榨出的辛苦，硬掙碎的筋骨，
作好了雕窗，華柱，基石下曾否露出他的血痕，淚跡？

炙熱終日的汗流，夢魔將他征服，
沉眠於涼風夜濤之聲中，彷彿在愛人懷抱。
不怕冰硬的堅石，更不管蚊蠅的肆擾。
在這一時無拘管的宇宙裏尋得他的暗中眞趣。

皺摺的面容下強抱了待哺的孫兒，

三日無烟，冷竈下空剩下溼柴一束。
溼柴上尙留下愛妻的指血點滴！
點滴，却沒映出火光閃露。

道旁！哦！荒蕪的道旁只有飢鴉在空中盤旋，
野犬吃剩下的棄嬰屍體，血肉零殘。
餓鄉中都凝望着中古的傳說「煮石成餐，」
他們的肺腸早已挑上了瘋狂的壯士矛尖！

情願做一輩的奴僕，只求得空腸充塡，
情願！情願再一世變做遊魚，飛鳶，
假使「六道輪迴」尙有一次在冥中輪轉

爭強似受層層的作踐與自已揮舞着空拳。

白玉窗前隱約間閃出了鬆髮，粉面，
「來前！來前！這裏有的是肉之享受，酒之陶醉，溫軟的安
眠！」
尖錐形大廈中燦明的華燈流電，
引誘地要他撲入那享樂的火燄。

無邊黑浪將恐怖四襲那山，巖，隄，岸，
羣神夜鬬再一次將天地轉翻！
一顆大星，一個板片，上前！上前！與狂濤搏戰，
但聽見暴風怒吼，鐵戈迸擊，「死」的聲喘！

一切憂懷，一切恐怖，一切誘引，與無窮的奮戀，
幻滅了！在他那粗黑滴汗的面上，只夷猶着夜風輕軟，
面前未工的大廈，張露着巨口牙尖。
不堆前只有微弱的螢火在飛，閃，回，還。

十八年六月，某夜。

86

這時代

這時代，火與血燒洗着城市與鄉村的屍骸。
古舊的樹木被砍作柴薪再不能夭矯作態。
金屬彈的飛聲，長久，長久征服了安靜的田園，
沈落在洪流中，波瀾壯闊，融合着起伏的悄愛。

鐵蹄踐踏下，疫癘，飢餓，戰，决定的命運活該！
如塗蜜的溫言，與飽了肚皮的僞善，拋棄在
不值錢的塵埃；塵埃下掩沒了襤褸的衣衫
包藏着戰敗者的骨灰在過去的足跡下長埋。

幽林中潺湲着地下泉的活流，永鳴着和諧。
在無名英雄的墓底，有力以上的莊嚴市街，
村落，與高耀着生活憧憬的幻光映閃，浮動，
全浮於地下泉的進行音上，新創造的世界。

化迹的背灰從馬蹄的深處昇起，遙現光彩，
天半的綺虹，橫束住白電與黑汽的雲鶴。
希望的光，是新燃起的一枝風雨中的白燭；
這時代，火與血燒洗的地方，是待燃的燭台。

十八年，八月。

幾度

我幾度把我的心遠抛天外：
　在虛空中任牠毀壞，
　在沈醉中任牠消蝕，
　在淸寂中任牠悲哀。
攔不住的時光的輪轉，
　牠又從天外歸來！

我幾度把我的詩意沈埋：
　放逐在塵埃中疲懈，
　蹂躐在行人的足下，

飄泊於狂風大海。
擋不住的時光的輪轉，
牠又從人間歸來。

我幾度把我的「人生」輕怪：
荊棘叢中的狂愛，
蝸角深藏着容忍，
到處的奢望，徘徊，
擋不住的時光的輪轉
牠又從前路歸來。

沈默

無聲的風，無波的水，
密陰中的黃鶯停頓住她的歌喉，
靜化中纔能領略這一分的深柔。
喧叫是熱情的春生，
沈默却完成秋日的穫收。

冷靜變成人生反映的清鏡，
並沒曾忘了世間的翻瀾獨泛「虛舟！」
在苦寂中作深一步的尋求；
無聲的風，無波的水，——

一樣能上搏雲霄，遠通着狂流。
曾一度啼倦了的黃鶯，
牠不願虛費氣力，對落寞殘春苦苦挽留。
一聲尖利的熱情調子預備在沈默的喉頭。
這不是初春的歌唱，
要叫破蕭淸的霜秋

在門邊

在門邊，在門邊，
我曾突迎着那玲瓏的身影，
蓬鬆的髮痕在懷中逗送。
忽然有一聽尖叫，
槐枝上的雛鶯唱破清冷。

在山邊，在山邊，
我曾爲歡喜向那身影低首，
一朵薔薇，在襟前兜住深憂。
忽然那薔薇落了，

深澗裏向何處尋求?

在天邊，在天邊，
我曾見一彎彩虹若隱若現，
挑逗起人間的希望，眷戀。
忽然來一陣暴風雨，
沈到心中，那虹影永遠是映着黑暗!

鉄匠肆中

一個星，兩個星，無數明麗的火星。
一鎚影，兩鎚影，無數速重的鎚影。
來呀，大家齊用力，
咱們要使這鉄火碰動！

一隻手，兩隻手，無數粗硬的黑手。
一陣風，兩陣風，無數呼動的風陣。
來呀，大家齊用力，
咱們先要忍住這火熱的苦悶。

一個星，一鎚影，一隻手，一陣風；
無數的星，無數的鎚影；
無數的手，無數的風陣。
來呀，大家齊用力；
在這裏是生活的奮緊！

內蒙古沙漠的風

無盡的沙田中多少黃柱捲動，
遮蓋住，混凝住這初春的晴空。
古舊絹畫中的柳枝淡映，
朦朧中綫條的天空鐵音箏鳴。

不曾有個勁舞後倦飛的鷹翅，
撲散零亂的是燕影參差。
牠們在這「北國」中咽住了春之消息，
輕弱的身段那能敵的過力的襲擊！

荒涼，荒涼，更添上風威的慄冽，
力的吹動早消散了溫柔，幽脆。
那管是一顆小草的蟄伏，
牠也得受一次這勁力的洗禮。

在這裏當年曾有過多少鐵騎
馳騁，踐踏過如今死一般的土地。
時代摧毀了瘋狂的健兒，
黃昏後獨聽見這巨人的太息。

衝擊中激響着荒塔上的銅鈴，
血戰的賊殺擾雜着靈魂的應聲。

98

（夜之悲劇正狂舞的起勁）
魔鬼在大野中扮演着肉搏的衝鋒。

黑黝黝四壁彷彿有冷眼獰笑，
窗子外激湧起倒海狂瀾，哀號。
一隻破船漂浸於暴風雨中，
噓噓，似獰笑的艙壁有冰冷的眼皴。

尖鳴的鉛條，墜响的屋瓦，合奏
出這場怪音樂，連同着鳴禽，吼獸，
他們飛動，跳躍，尖嘯，猛鬭，
是一個孤客在春夜中悸驚的領受！

時與空滿佈着激動與爭鬬的縱橫，
不容你獨個兒躲在暗中心驚！
這力的鼓動將一切又來一次合成，
聽：巨人的太息，——狂瀾的噴湧，鐵的爭鳴。

十九年之春。

100

灰石的枯骸

大海邊猶立着一架灰石的枯骸，
脫却皮肉的巨齒沒有遮蔽的焦軀，
像一個倔強魔鬼，——他望天獨立。
無數瘋狂烈燄的火把
　曾投入他那偉大的胸懷。

血汗堆壘，人力滋養，創成了這個生胎。
披圍着華衣，巨目下冷看着人間活劇；
吞沒，吐露過多少醜惡，歡與悲的來去。
這傲然自足的巨人
　終不免人類贈予的一場火災！

人造的玩具常是人類命運中的傀儡。
不見。花園中，「綠洲」中，田野中血光泛溢！
口舌上的甜漿噴着尖鋒到處刺，灑。
力的征服，——他們用毒藥火丸，
正在轟殺他們自己的嬰孩！
一架枯骸，永不懺悔他的滔該！
他似在說：「除了苦鬭的人間那有「生」味，
更沒有靈的讚歎，可憐的人道的愚昧！
還像我脫卸了一切枷鎖，
作個自由的靈魂無怖無礙！」

二十，十二月。

102

霧警

(一)

多霧的海畔正當春殘。
晴絨衣包住了參差的樓頂，
夜影中散落着白燈點點，
沈沈地擴展開生之困倦。
聽一個突發的悶音從水波上湧，
接續在抑塞中聲聲轉顫。
不是？清夜的鐘聲結入眷念；
　打窗的碎葉一回悽感；
　樂歌是朝日垂柳中的黃鸝；

清冷冷有黃昏後一支簫曲。
音感中送來憂愁，戀愛，歡樂與苦難，
　會把人的靈明打成碎片。
　但這春夜的海潮中一聲霧警
却深深地引起靈明的憧憬。

夜沈在霧中，還是霧變成夜的試探？
黑波上正還有不眠人的行程。
燈塔早成了遙遙的霧星，難管
那些探求命運人的勇敢！
這怪物在狂瀾的暗中長歎，

迷落的夜世界會變成一片光明。

（一）青島每值春夏之交輒有大霧，海中音機於霧夜中發音示警以戒航行。我遂以「霧警」名之。

沙河子（一）

沙河子，在眼前推出了一個輪廓，
冰凍與荒苦包圍住飢寒的村落。
石街上雪沒了足蹤，火酒與大葱，
小店鋪前面聚合着窮苦的伴夥。
東方，西方的東方，一樣有流亡者，
爲生活把故鄉的影子化成輕夢！

似被人間忘却，丟掉在黑暗一角！
希望，愛，怨與爭存依然相爭劇烈。
雪流在大谷中催動着荒野風聲，

掘起凍土，砍伐着樺枝，一個，一個
的勞工搏戰在風雪裏，血流激熱。
沒有空想，沒有躊躕，愚猛的扎掙！

那裏沒有春天的太陽，只有冬夜；
一聲號寒的鷄，一輪靑黃的冷月。
一杯烈酒，一堆柴火，他們的享受，
他們甚麽沒有，空保住力的團結。
向未來尋望着命運的空殼，直截，
只有命運空殼的陰影，已經足夠！

誰曾做一個荒地上的天堂夢境：

眩光中有數不清的燦爛的羣星，
輕飄，媚麗，是淫樂與驕傲的表現，
他們吞吸着雲彩互相慶幸和平。
是一匹血染的薄綃隔絕了地層，
是誰在暗間的怪夢裏曾經偷見！

「先生，現在又飄洋歸來路可不通！
從大連一百里誰能信斷了行程。
你說：看見拿黑圓筒的大爺不怕！
不明白是義勇軍也許是「滿洲」兵？
虛化了盤費小孩子也耽着虛驚。
兩天的早凍，黃沙，脚蹺起了瘡瘩。

「不是曾經對你說過希奇的事情，
一羣一簇的東洋人都齊聲慶賀，
說：「這一次咱可自得了那個大城！」
你就信，先生，他們眞一樣的起勁？
窮人們還不像我那孩子的過活！

「一樣是不做點苦工便一樣捱餓！
唉！那樣天，窮小子白瞧着街頭闊。
別說強搶了好地方是神佛保佑，
可不是，男與女一批一批的來過，
在荒山雪堆裏直瞭着冷地哆嗦！

說不定來一羣鬍子便沒了守救！

（二二，二月。）

（一）山東的鄉民有許多在沙河子作苦力的。今年有一個徐姓老人由海道往那邊去看他的兒子，離大連一二日在旱道中被阻。他回來同我談過那邊的情形。

110

勘誤表

頁	行	錯誤	改正
序文			
3	1	十幾年	短篇
3	11	諸沈默	付諸沈默
4	4	你	我
第一輯			
26	9	……寶窟。	……寶窟?
第二輯			
		迴繞	迴繞
		晒	曬
		力影	身影

一九三三年三月初版

◆這時代◆

▣定價大洋五角▣

著作者　王統照

印刷者　華豐印刷公司

代售者　各地各大書局

夜行集

王統照 著

生活書店（上海）一九三六年十一月出版。原書四十八開。

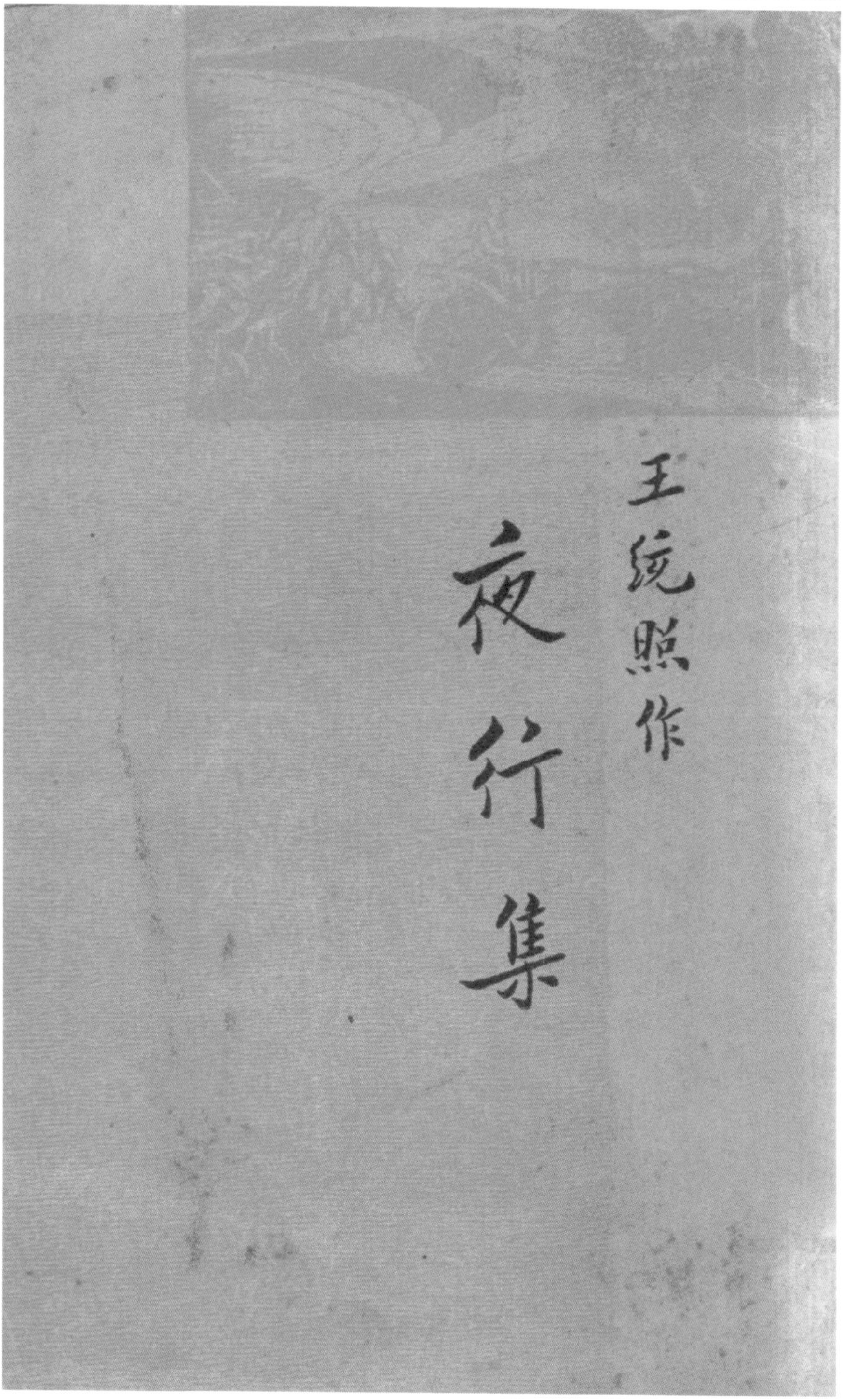
王統照作
夜行集

夜行集

王統照作

上海生活書店發行

中華民國二十五年十一月

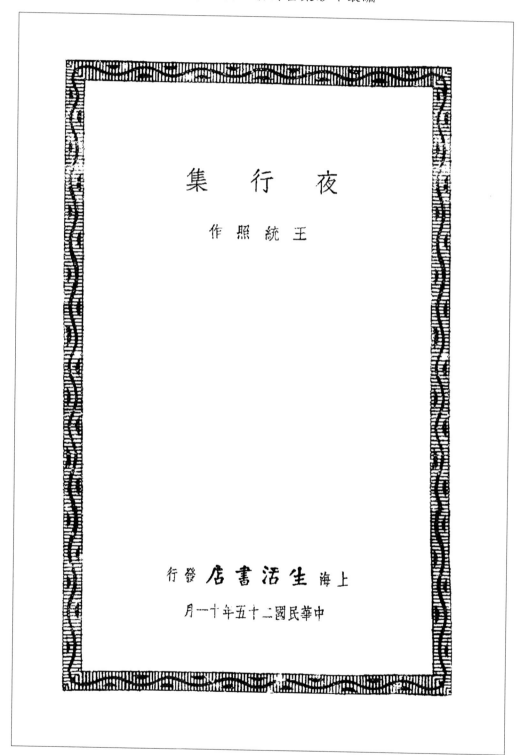

夜行集

每冊實價叁角伍分

著作者　王統照

發行者　生活書店

印刷者　生活印刷所

中華民國二十五年十一月

目次

第一輯

第二輯

第三輯

散文詩四首

沙河子（一）

沙河子，在眼前推出了一個輪廓，
冰凍與荒苦包圍住飢寒的村落。
石街上雪沒了足蹤，火酒與大葱，
小店舖前面抖聚着窮苦的伴夥。
東方，西方的東方，一樣有流亡者，
爲生活把故鄉的影子化成輕夢！

似被人間忘却，丟掉在黑暗一角！
希望，愛，怨，與爭存依然相爭劇烈。
雪流在大谷中催動着荒野風聲，
掘起凍土，砍伐着樺枝，一個，一個
的勞工搏戰在風雪裏，血流激熱。
沒有空想，沒有躊躇，憑猛的扎掙！

那裏沒有春天的太陽，只有冬夜；
一聲號寒的鷄，一輪青黃的冷月。

一杯烈酒，一堆柴火，他們的享受。
他們甚麼沒有，空保住力的團結。
向未來尋望着命運的空殼，——
只有命運空殼的陰影，已經足夠！

誰會做一個荒地上的天堂夢境：
眩光中有數不清的燦爛的羣星，
輕飄，媚麗，是淫樂與驕傲的映現，
他們呑吸着雲彩互相慶幸和平。

是一匹血染的薄綃隔絕了地層，
是誰在暗間的怪夢裏曾經偷見！

『先生，現在又飄洋歸來路可不通！
從大連一百里誰能信斷了行程。
你說：看見拿黑圓筒的大爺不怕！
不明白是義勇軍或許是「滿洲」兵？
虛化了盤費小孩子也耽着虛驚。
兩天的早凍，黃沙，脚腿起了瘡瘩。

『不是曾經對你說過希奇的事情，
一羣一簇的東洋人都齊聲慶賀，
說：「這一次咱可白得了那個大城！」
你就信，先生，他們真一樣的起勁？
窮人們還不像我那孩子的過活！
『一樣是不做點苦工便一樣捱餓！
唉！那樣天，窮小子白瞧着街頭闊。

別說強搶了好地方是神佛保佑，
可不是，男與女一批一批的來過，
在荒山雪堆裏直聽着冷地哆嗦！
說不定來一羣鬍子便沒了守救！」

二三，二月。

（一）山東的鄉民有許多在沙河子作苦力的。今年有一個徐姓老人由海道往那邊去看他的兒子，離大連一二日在旱道中被阻。他回來同我談過那邊的情形。

她的生命

第一段

熱流激漲在每個人的心中，
熱火燃燒在鐵巨輪的身旁。
五月，白晝炫耀着熱的光輝，
圍牆裏有滅絕一切的巨響。

旋轉，旋轉，皮帶永遠繫住了生活，

力，機械，飛動，象徵了人生的榜樣。
現代，是由爭鬥磨碾成鐵的文化，
在這裏，却消逝了唯心者的徬徨！

一顆顆從土壤中開放出的花朵，
一手，一手，擷取，運輸到都會市場。
大監獄中鐵的磨折與勞力的推動，
在這裏，一小時變成了細紗衣裳。

她的生命

多少隻手指幫助一點點的餘力，
餘力，消盡了血，汗，淚，貧苦與惆悵！
生命的巨手向虛空擎一個火把，
在這裏，燒結了現代的人生細賬。

飛，追，碾碎，變化，創成，
恰好凝合成她的生命！
接，握，連續，奔走，推動，
機械的朋友是她的見證！

熱汗在面頸上滴落，流動，
眼前跳舞眩耀着一片白星。
沒有尋思，感念，悵惘與怔忡！
在這裏，人心都納入一個典型。

美麗鄉村變成了沒落的舊影，
黃金的尖穗，碧玉的圓豆，浮萍：
水塘中幾隻白鵝快船衝破萍踪。
馬櫻樹下有一羣雲雀啁啾爭鳴。

她的生命

乾燥的土氣息到處散佈東風，
她從田原中將沉睡的一切催醒。
樹根下，糞堆旁，工作忙碌了蟲蟻，
拖了犂耙的黃牛尾拂着蒼蠅。

是農人與土壤接吻的時令，
時間，空間，都造成他們的復生。
遍山野果行中深垂着桃，杏，
人人歡悅，迎接這豐收的年成！

美麗鄉村變成了沒落的舊影，
力的榨取，彈丸飛掠，金錢的吞併，
一場冰雹，幾個月荒旱，拔木的風，
馬蹄與鐵手的毀壞，希望化作虛空。

這年頭教咱們怎能拚命？
能搶，能追，能向地底下挖出金坑？
都行！却白費了莊稼人的扎掙！
分散，分散，到處作覓食的『哀鴻』。

第二段

春與秋，年年在大海邊人潮洶湧，
拋棄了家園，流浪去向關外逃生。
血與汗滋生，培養開異地的花朵，
這花朵是流亡者的勇苦的結晶。

一樣花朵却不能開放出同一的運命，
汽船上載不了苦難巡禮者的行踪。

他們只為缺乏了幾隻銀餅，
近海都會便捕捉住他們的身形。

男子有天生的身軀朗硬；
　女人也具有軟肉的體型。
雖然終天去受鞭笞，日灼；
　雖然向來沒幹過這恥辱的過活！

高樓中任唱出爵士調的蕩聲，

窗台上喇叭播送，金銀市的行情。
生活，在此中有的是驕矜與快樂，
聲音與光彩不曾降到黑暗的一角！
都市的遊魂誰不犯惡太陽的輝映？
夜，牠纔有狂藥似的迷勁！
讓白晝罩覆着苦人的怯懦，
汗滴，喘哮，力的喊叫——都市的醜惡。

夜行集

人間的夜；夜却不止是
漂亮男女應分的獨佔。
牠推動出罪惡與威權。
重樓下層，狹巷與路邊，
幾隻角子，肉體的淫顫；
肉體中壓住一口寃氣。

一盞油燈，苦笑的光燄。
一隻木床，嘶聲的迫戀。

16

她的生命

一個身形，蜷伏在灶邊。
一隻銀洋，詳審的反看。
爲了孩子有肉的售賤！
母親，在這裏，一個人間！

母親咽着強慾的苦汁，
威暴，調弄，叱辱在燈前。
窒息的壓力下，還懸念
孩子一天沒吃過早飯！

半夜後有誰還在流連？
聽，地下是丈夫的鼻息。

一聲尖叫，舞台的管絃。
一陣脆響，亮銀的鞋尖。
一片紅彩，氖光的放閃。
一夜淫辱，破碎的紙片！
黎明，這一切墮入空幻，
丈夫，痲絆又套上雙肩。

她的生命

惡劣，卑困，在生之巨輪下，碾碎
了鄉村逃亡者的心血，把捉着
十歲女孩向寃苦深淵投墜！
誰敢埋怨蒼天故意地拖脚，
咬緊牙根，他們全擔承着活罪。
搖頭起誓，說：『這是前生的寃孽！』
一塊肉，人的市場裏價值還不貴；
是尋常的例子，他們偏不割捨。
一年，一年，光陰熬乾了眼淚。

男人瘦折了筋骨，女的添皺摺。
縱使討飯也打不起精神隨追，
鬆怠的肉體賣不出一夜生活。
長睜不眠的眼睛辠寒星入睡，
鬧市飛菌偏向窮民身上傳播。
過度苦壓倒了他們，對誰懺悔！
窮，疫癘，死亡，這是一劑的良藥；
能治愈掙扎浮生應受的罪惡！
再一輩，命運注定的金錢束縛，

做童工，得送女孩在鐵機下求活，
綿絨監獄裏，包定住青春的歲月。

第三段

機械，在現代機械前原沒有人的存在！
毀滅，而且重造了時間，山嶺與大海。
牠把迅疾，速力，轉動的權威壓到人間，
打碎了安靜，沉默，與『超人』的空想神怪。

夜行集

閑適與感喟的詩歌，純敬的宗教崇拜，
白白讓與古代人，他們的包容與忍耐。
那長久，遲緩，信賴自然，悠悠的思程，
像折翅的春燕被擲墮於狂飆之外。

宇宙中怎找到眞美的證明，嚴肅淘汰？
有震動萬有的聲音，傳導着速力出賣。
有美，有韻律，有生活的辯理，飛鐵輪
佔住了「幽玄」的空間，創造嶄新的世界！

22

空費了虛無主義耽於幻想中的曖昧；
空費了綺麗靈魂在種種色彩中徘徊；
環迴，觸動，却必須追隨着嚴肅的生活。
至妙的競技，定不會被乳色的霧層覆蓋。

鬭爭與勞動，是永久抓得住古今成敗，
時代的喊呼漸漸警覺了人道的愚昧。
呼聲中常是顧不到微小的辛苦，沉淪，
牠引動起又一天的曙光照破雲靄！

也許機械永不會使女人們衰弱，疲憊，
她能在眩暈中留件活東西，心頭永愛：
鐵的意志，靈的胎，孕育着機械的嬰孩，
在未來，未來，更能把握住重生的時代！

第四段

頭一聲尖嘯驚破清晨，
集合起婦女一齊踏步。
勇敢隊伍都塞入鐵門。

她的生命

一包乾糧，包一個青春！
一聲汽笛，沒一個回顧。
鐵輪下認不出笑與顰，
相對着，一例貧苦平均。
皮帶迅捲出人生之路，
迸散出泛勞力的相親。
在這裏不要同情淚滴，
Lyric 的恍惚，懊惱的欠伸，
香檳泡沫，狐步的媚舞，

夜行集

水紋鬈髮，金扇的白羽。
她們一樣出賣着靑春！
在這裏，有眞生活的世紀，
鐵的巨響，女性的狂怒。
雙手抓得住力的苦辛，
咱們要整齊女人步位！

她想：「丟掉了爹爹的繩絆，
劃斷母親恥辱的繼承！

向鐵輪中捻得住一個火星，
微光中能覓到更生的途徑。」

她想：「幼小時模糊的故鄉，——
那楊柳，白鵝，引不起如今的惆悵。
微光中四周輪廓漸漸分明，
只記着一片火光，一處吃人的市場！」

她想：「這機輪飛碾着自己的生命，

清晨到暗夜一步不曾放鬆。
這是新式工奴的本營，
可不能不在這刀山上扎掙！
她想：『由各處聚合了多少同伴，
都來低首聽這機件的飛絃。
她們誰都不惜她們的青春，
來等着這人生劇的一個頂點！』

她的生命

她想：『咱們的眼光全是收容恥辱、
　街頭的胡調，與紳士們的嘆息，
　監獄中錢奴的戲弄威逼，
　機械的朋友，你能證明這些苦趣！』

她想：『雪里佛車中軟絨包裹的身段；
　金字門前球場中的往還，
　傳播文化的印紙上，高材粉面；
　咱們一夥兒？——女性中心的分散？』

第五段

新的光輝包覆着更生的希望，
擔負起困辱，雙手承接着曙光。
烟囱中噴發出潛力的雲靄，
地下泉激流着聯合前進的歌唱。

女人的明日是一串鐵的連繫，
薔薇色的淡漠夢境，踏在脚底。

咱們一同，一同赤着脚向前進趨，
悵惘，凄迷，都讓給詩人們的歎息。

瀝青路中紛擁着人潮的奔騰，
歸去，她們各個帶回疲勞的身影。
疲勞了身體，卻增強了意識的力；
意識，擴展開未來生活的憧憬。

第六段

夜行集

夜的都市，一張暗幕，在上面
開出毒汁的花朵，
爬行着狡惡的蜘蛛。
夜的都市，一張暗幕，在上面
織着迷蕩的色絲，
包藏着嬌媚的骷髏。
夜的都市，一張暗幕，在上面

32

她的生命

滲透出苦痛的血痕，
爆發着火星的跳舞！

她也在繁華夜的暗幕之中：
呻吟，爹，娘的創痛！
憤恨，同伴們的扎掙！
未來，懷孕着血嬰。
迅轉巨輪不息的飛行。

她也在繁華夜的都市之中：

飛，追，碾碎，變化，創成，

恰好凝合成她的生命。

接，握，連續，奔走，推動，

機械的朋友是她的見證！

爆竹

誰不是在掙扎中裹住一顆沈重的心？
誰不是喜歡晴空中光與聲的耀動？
　重壓下茫昧的希求，
盼到一天在指尖上有火花飛迸。

誰也是具有熱烈歡欣的少年的心情，
誰也是在沉靜的生活中希得放縱！

一年能有幾天，一生能得幾次？
把人生的法繩略略解鬆。
說到憐憫麼？荒村中的餓骨強撐，
兵馬在大道上縱橫，
天火燃着了不安定的人心，
霹靂震動着蟄蟲的覺醒。
也許是孩子與年輕人的狂與

竹　爆

爆聲中挑起激越的心情。
聽，這是古靈的回聲，還是新生的喊叫？
暗夜間火花明映着羣星。

花球與鞭影

一個美麗的花球，
輕輕的膨漲，飄飄地浮動，
鬆鬆，軟軟，微感着渾圓的歡欣，
向你心頭投放。
明知是鼓着腮膀吹起的玩意，
在這上面却引動生之味的惆悵。

花球與鞭影

一條虛空的鞭影，
重重的派頭，搖搖的姿態，
在人頭上顯示着驕傲的堂皇。
聯想着揮擊，戰慄，與被逼迫者的希望，
向追逐裏要求解放。
晴空中膠汁吹成的權威，
在這上面憧憬着奮爭的凝想。

夜行集

期待

期待，一朵在想像中欲放的花蕚，
成熟時，會變成潰爛的一個苦果。
期待，一隻藏於暗霧下嬌麗的翅膀，
暗霧散了，纔知埀斂看中過箭傷。

引起貪饞人的食慾，擎空的惆悵；
酸澀咽在喉頭，血滴沾污了華裳；

40

奔馳黃昏的暗道，不是急性子，
煩渴得要命，誰曾顧仙液與毒汁？
那怕聽一聲毛髮直立的鴟鳥叫，
反比老在沉默的夜中彳亍好。
是人都有一片歡喜恐惶的怪心：
軟絨毯上的舞伴，破屋中的病人，
天可憐，還能從世間偷得一口氣，
他要從未來的銀光中捉回記憶。

待　期

記憶從來找不到那是她的邊緣，

得一段生之迷絲可牢牢地牽絆？
是嬌媚眼角流落的珍珠，是赤蛇
舌尖吐出的毒火沒有甚麼分差！
忘不了渾凝在現實中眞的苦樂，
牽絲的一端會燃起期望的烈火！

期待，牠不會在虛空中騙過人生，
牠能用魔法引動生之力的競爭！
期待卽是苦果與中傷的好翅膀，

牠可是給你點相思塡飽了飢腸！

詩人

不止請你謳歌天上的樂園，
行道中也須時時看到自己的邁步，
一段尋思，一片風光，一齣人生的活劇，
你要扮演可試試踏下去的脚力。

詩人，先不必把彩繪的顏色想着迷人，
夢想的翻騰，我與人的認識，迷了自己。

不自知中唱一段激動宇宙的高歌，
歌聲壓住了人間的喝彩與煩惡。

熱光在暗海上躍動，泛湧着生之潮汐，
有層層波瀾表象着天海咽泣。

泛一隻靈魂冒險的孤舟，
向青冥浩渺處吐一口眞誠的太息。

詩人

詩人，聽蘆荻間的秋聲，烏啼在深谷寒枝，

如今多少人失掉了古老的幽趣。
聽，是一陣海上旋風吹打着大樂的繁音，
夜夜爭奏，在昏朦中急催着朝曦！

玩傀儡戲者

追逐着太陽的射綫，到那裏去？
到那裏去？一肩上抬起生活的擔仗。
淒淒風雪中古老的村莊，
蒼涼，窮忙，有人煙的集場。
來啊，鎖吶吹出引誘的聲響，
告訴出這是明明玩弄人生的劇場。

有驕橫，妬忌，凶殺，男女的狡猾與端莊。
有強梁的威嚇，幽默的獨語，無可奈何的低唱。
有光明，黑暗，暴風雨的震驚，
爭鬬，喧叫，——全人類的種種扮像。
一聲鑼響，一口的唱白，一隻手的擺動，
來呀！咱這裏是出賣靈魂的地方。

得意的批評與過度的責備，
劇台拆了，便有的是嘲笑與歎息；

玩傀儡戲者

人人都忘記自己還在土地上扮戲。
每個人的靈魂何嘗爲自己享有，
被甚麽顛動，撮弄，悲苦與欣喜。
然而在『巨靈』的掌中跳踉，狂肆，
一聲鑼響，低頭時只留下自悔的心悸！
不錯，誰肯把生活的賬目認作虛空，
偏要從難解的謎面找到謎底！
世間曾不少撮動，裝扮的人情味，
一池發酵的萍根，一羣失穴的蟲蟻；

一台提綫的傀儡，正象徵着觀劇者愚蠢的自己！

流浪者兜起想不清的悲哀，向歸雲，
奔走到天涯，——天涯，場屋，園舍到處爲家。
一天的疲勞，夢中不會發一聲嘆嗟！
強笑，裝唱，在每個人的面前休誇，
小傀儡的舞動是這苦旅人生命的萌芽。
朝光中，黃昏後，藏在暗裏忍聽着喧嘩，
把焦躁，催促，笑語，批評，都讓與布圍外罷，只一層隔幔便挑動他們的心靈作耍！
在人人的心尖上，開一朵光亮與陰鬱的花。
歸去，冷冷的黑夜，經過疎林曠野，
聽一聲鵂鶹惡叫担仗攲斜，
似是小木人兒在箱中也覺着恐怕！

多少年，鄉村流落傴僂了壯年的身影，
任歲月飛流去，沒曾踏上大城的行徑。
大城中有數不淸的新巧的玩意，

然而他不願在那些奸猾的人前顯出伶仃。
戰爭，燒，殺，愁苦，逃遁，無復已往的興感，
打起場子，在這海岸邊，怎能打動大家的歡情。
鄉村，處處是密佈着慘淡的雲霧，
外來人——不容許你賣藝者的自由留停！
向何處去？脚力不容易奔走遙遙的旅程。
布幔破了，木人兒的衣裳殘缺，連
發光的木担，肩頭上也叫出悲苦的歎聲。
向何處去？聽海濤在落葉下驚鳴。

峭寒

峭寒輕斂起層層的鱗皺，
朔風把又一度的黃昏投入波心。
煙靄是一張紗幕輕籠着沙浮山瘦，
冷淡與荒枯——冬晚的畫紋。
到這裏怎能找得到生之爭鬭？
潛藏於默息裏的生機，
正等待明日的晨光罅漏。

無聲的大海，她胸中埋伏着汹湧的波瀾。
黎明緊接在冷靜的深夜後，
又一天，誰知道不是又一天的氣候轉變。

獨木舟

獨木舟的兩頭蹺尖，衝破了浪花漩。
伸一隻黑手向毒熱的天，——天光在船舷邊打轉，
投兩顆銳利的眼，把深藍色暗淵射穿。
他的心高懸在銀光的一綫。

獨木舟，沸熱的湯，張嘴的巨魚，巧妙的雙手，
自由的生活拋到身後？

等待着白人，黃人，還有印度人的嬉逗，
他的心高懸在銀光的飛溜。

情願到森林，湖沼中過陳舊的日子，
是一樣到處都是窒息的呼吸。
白種人的足迹踏遍了多少地方，
刀火下不容這些弱者的猖狂。

「做一個碼頭上的自由奴，——算得過分？

誰教是黑顏色的醜惡，天生的愚蠢！」
不見阿拉伯的傭工，印度的苦力，
他們還仰慕這些投水人的安適。
綠羽丹嘴鳥的歌聲，金色斜陽返照，
大海中翻滾着驚濤，環繞着是點點的孤島。
自然美只可供給詩人的話料，
還有，——投水舟子的技術輕妙！

輕妙，一個紅腮上的笑渦能擲下一件恩惠，

側立的男子從口袋中學會愛媚。
淺淺的笑渦還沒來及從水面收起，
黑炭身體又來了一次淴浴。

旅　夢

誰能從長行中的旅夢脫逃？
睜開眼睛看這虛僞的醜惡，
紛亂，火灼的生之路上，逍遙？
你能嗎？你儘可找密密的臉巾遮住，——
那現實的銳目不容情地在周圍冷笑。
疲倦，煩苦，血泊中的乞求，淚，烈酒，
麵包，柔脣上的血滴，勃朗寧，繩絞！

毛髮在谷底直豎，慘夜的梟鳥。
口噤嗎？你的血冷縮在血管裏，你，
巴不得那個黑角落裏有一聲『叫曉』！

荒野中，陰風吹動僵屍的舞蹈，
燐火團成青光，失了影子的昏月，
罩映着幽靈在叢莽中尖嘯。

城市：淫猥，傾軋，滿街上灑遍毒汁，
只要你忍心踏上一步，准你喜躍；

准你遺忘了掙扎中生之苦惱！
滴一杯人血你可痛飲無憂，
一朵惡花准在你胸前發笑，
莫管天上有千萬枝冷箭挾着冰雹，
這裏曾不信會有暴風雨的警告！

旅夢不是一泓濁水中開的『空花』！
惡菌深藏在水底下，培養着清白
的萌芽。一天，水上有澄清的波紋，

夢的花，新染上一層水面的綺霞。

雖然無盡的夢永遠把人間顛倒，
一隻蟲蟻牠也歡喜永久的晴明！
小心！煩厭會咬住行客們的心頭，
叫曉時失掉了你的旅夢的新生！

一九三四年，二月，在印度洋舟中。

他也有他自己的國土

三月的晴光輕籠住印度洋的風暴，
浸碧的晃漾的明濤向遊人逗一層媚笑。
孟買灣外一綫朝陽從水上升起，
是啊，掠過媚笑的臉龐閃露出古國的光耀！
那末無力的波浪吞吐着海畔尖石，
戰爭，苦鬬，血跡，石岸上疲倦了的世紀！

就是一撮的柔沙也疲倦得風吹不起，
自由的爭奪，留與天空中飛鷗的歎息。

菩提樹仍然茂生着牠的柔枝；
菩提樹下隱臥着赤銅色裸露的肢體；
菩提樹前不少伸手乞討的孩子；
還有那些哲人的屍骨深埋在菩提樹底？
『四條大水從各方匯流入聖河的恆河』。

他也有他自己的國土

普度的衆生在宏大的教化下沒有偏頗。
豐盛，憂傷，貪，瞋，都是自己的毀滅。
藉重悲與慧雙重的能力，人間導修正果！——

他們——往古的哲人在聖樹下解脫，
歷史的翻騰把血痕洒遍了聖樹的枝葉。
如今有疲勞飢餓的男，婦，兒童，
在樹前忍受着他人的毀滅！

古城中有詭麗，層疊的「窣堵波」，
相映着征服者的崇樓，傑閣。
塗染了新油漆的歐風寺壁，
是虛僞與奇異的「東西調和」。

黃的，紫的，淡綠色的披巾——大道上飄拂；
大道旁呻吟着裸奴的病體。
忽吹來一陣尖銳的警笛，……
纏巾大漢控馬在熱道中馳逐。

他也有他自己的國土

希求地數說着引誘的言詞，
布袋中，飢餓毒蛇吐出舌上雙岐。
弄一套流浪人的魔術——
遊客啊，你應分知道在這裏是古天竺的聖地！

聖地，向來是血泊的匯流處：
白匈奴的掠奪，Sakas的侵入，
最後是日出入國的商息，兵力，大艦的威逼。

夜行集

聖地的土塊上漬浸着滌不去的血汚。
雖然是從苦行中戰退了種種的魔軍；
雖然能有大勇猛的心願把苦根截斷；
雖然要從正覺中解脫了『四諦』的業因，
可奈那歷史的輪迴，幻夢碾碎成塵！

聖地——在這裏有香花珠寶的歡喜與安樂，
聖地，——這裏會有古昔的乞禱，辯理，與信託的顯秘。

68

那些哲人們參透了餓鬼，畜生與永苦的地獄，
他們把人間看做一個煩惱污穢的集體。

現實的鉄輪無情地壓碎了往古的想像，
名論，修行，希望，都消滅在恥辱的身旁！
高原人的戰鼓反激出世紀的回響，
恆河中有數不盡的血屍漂蕩。

眞啊，無量刼淘不盡他們『教門』空想：

朝旭初升，石岸上的跪伏，祈禳，
古寺中尚燃着晝夜不息的油燈，
那燈光象徵着冥漠中光明的微望。

西來巨艑奪去了這些褐色人民的收穫，
辛勤，叱辱，苦痛，——機械與鐵手的拏攫。
抽劃盡城市與鄉野的血肉，
還與你們一個偉大古老的空殼！

磨快了你們的刀鋒，還擱在你們的頸項，
別再提過去，言詮的榮華，——一切『法藏』！
顛倒衆生有鉄與血的權威，——
風雨早打滅了聖地的靈光。

憐憫與同情也許結成果實在千百年後？
不貪，不瞋，還不是現代人能有的感受。
誰能把形體上的苦難全打點做精神解脫，
不見麼？——那些皮鞭下的奴隸，瞪目，低首！

機輪飛馳過肥沃的原野。
電光在昔日的山谷中閃爍。
烟囪矗立替代了華麗的浮屠，
起重機的喧音與晨夕的鐘聲答和。

現代的花要結成血和力的巨果，
牠的養料，却不需清靜默思，悠閑與淡泊。
熱風中生長着艷色多刺的玫瑰，

那裏能找到『常樂我淨』的蓮花朵朵。

祝福吧？向何處再找回龍象般的偉力；
獅子的吼聲，光明普照，——惡業的驅除？
否，——高空中盤旋着待吃人肉的飢鳥，
眼瞧着祭台上有屍體的暴露。

然而，那麼無力的波浪吞吐着海畔的尖石，
自由的爭奪呀！——疲倦了的世紀！

空引起一個遠方遊客弔古的熱情，

向東方，……回首淒涼，『他也有他自己的國土』！

一九三四，二月，遊孟買後。

水　城

（紀威尼市之遊）

南國春陽耀退了清寒料峭，——在清晨，
籠一層淡靄凝結成一個幻夢的縹緲。
圓甕形，方塔形，尖針形，——水面的房頂
有意裝點着外面的莊嚴與平和的默笑。

劃一道軟痕綠波緩擁上古老的牆根——圓，小，
盪一片青苔，黝黑基石在圓波中輕輕聳跳。

剛都拉(一)長頸前伸着，是柔泛的飄逸，
一聲豪唱，舟子的喉嚨驚起樓頭棲鳥。
「啊！啊！我們的海程完了；我們的海程完了。
啊！啊！幻像中的水城終到；幻像中的水城終到。」
轉出碼頭往夾波的陋巷中搖，往陋巷的水上輕搖。
「聽呀！拍拍響聲，背後有人點着長篙——長篙。
「那裏來都市的嘈音，或是他們不慣起早。

那裏有汽油的焦味與看得見車馬的奔躍(一二)?
那裏是高囱口噴發出燒化的濃霧?
只有臨水窗上的晨歌,只有橋頭的人影俯照。

『太陽不會變了面目,這金光在水底分外明耀。
人間不會把現代倒轉,是眞的還有這古老的情調!
朋友,你喜歡麼?我們是從東方古國中來的遊人,
今天又怎麼喝了陳酒,投入這古詩意的懷抱?』

夜行集

繁星似的黑點，晴光中上下來回。
絳紅色方體的矗立——華表象巨人的武威。
方場上躍動着古老的精靈，他們的迷勁：
雕鏤的耗費，色彩的醉，線與形的交揮，
揭露出沈迷的秘密，有的是敬崇的血淚。
一隻鴿子彷彿是標價的靈魂——餵養，愛惠。
一線運河上的陽光也似向人間滌罪。
「來瞧！這全教堂(三)的合體閃閃地耀着金暉，
那塊小石，那條色線不是炫弄着聖馬克的靈輝。

還有那五圓頂下有多少東方的奇珍點綴。
是留念那些長征的英雄，保護十字軍徽(四)?
刀劍與信仰，這教條鎔鑄成世界的與廢。
藝術——是雄偉的藝術，血痕塗上美的顏色。
還有雕像在古爵府的入口，不能永保沈默，
畫室中當年埋藏着不幸的寃鬼。

聖馬克獨立天堂可會允許他們懺悔?
紅法衣，白燭光，有僧侶們的朝夕誦美，
地下血獄(五)，聖徒的居隣！許容易導入天國?

夜行集

古老，奢靡，殘暴，雄奇，是名所的一串浮標，
古怪的偶像永遠被暴君塗上彩繪。

河上的夜睛閉了，任憑清波埋葬了流光，
聖母堂前，石欄邊低低地有一聲幽唱。
或許是古藝人的靈魂感到春夜凄涼？
否，這水城中的少女的夜深時約候情郎。
星星從暗中的高柱上對飛獅低吻(六)，
廣場上，電燈斜映着獅身威揚。

80

水城

玲瓏，雄秀，如夢的樓台都一例穿了玄裳。
一隻，兩隻，——遊艇掠過了睡河中央。
古典夜風吹送着老詩人往日的歎息，
它漾在穩穩的波心失去了青春氣力。
說：「威尼市是『無限好的夕陽』」；
更合於黃昏後沈靜的幽麗。
水一樣的平，古物似的斑駁，
這裏沒有哭喊，沒有呻吟，恚怒。
心上回復着是沈吟的温煦：

夜行集

一杯黑咖啡；一溜黯黑的明眸；
一雙在色彩中洗淨過的枯手，
一船載滿了你與我的遙思！

穿行在彎環的水街，
街燈已蒙翳着霧埃。
水底星眼迷瞪着倦意，
不再凝望藝術的靈骸。
我們能沒有弔古的情懷？

82

水城

誰不曾引起人生的長哀？
近東，地中海灌溉的名城，
當年艨艟遠征去的站台。
有綠波，柔情，雄歌，與妙手，
夠多少詩人夢裏徘徊。
這百零八小島上的古藝的精靈，
軟流中他們都向那些暗影伏拜。
鐘塔上毛爾族的巨人鐵軀永在（七）。
亞當與夏娃是人間終古的調諧（八），

你們眞在懺悔原始的罪惡？
你們鉄打的筋骨也感到疲壞？
可是——血與肉在藝術的花架下
曾經滋生過文化的胚胎，也許
古文化有時得停止動態。
而今把生發搏躍讓予了
另一世界。」

飄一陣細雨滴入我蒼涼的心胸，

水城

茫茫霧，織綃般拖住水上的夢城。
回棹去，穿過古宮堂的夜影，
金尖頂上彷彿閃過了一顆寒星。

過去的榮華到底還留下一聲歎息，
夜風中，崢嶸建築還有他們的傲視。
我們不能輕蔑這古國的雄姿，
她的脈搏在大運河上時時迸力。

奔馬，飛獅，一樣是威尼市的表徵，
她所有的不止是水國上的柔情。
歌與笑，沈靜與狂暴，還有藝術的飛躍，
他們還能自由呼吸着浪浪的海風。

回棹去，向東方遙望着從來的故國，
這裏曾有人早做東方西方的來回。
如今，東方啊正燃燒着火災的狂醉，
我們——春夜遊人愧對這古城的靜美！

註：

（一）剛都拉乃威尼市的小艇，來源甚古。

（二）威尼市全城皆水道，無一汽車。

（三）威尼市人呼聖馬克禮拜堂之名。

（四）威尼市加入十字軍東征，以其海軍的助力打敗土耳其人。

（五）著名的公爵府中有當年公爵的監獄，往遊時導者述說頗詳。

（六）聖馬克前的小方場上一對圓柱，有一個上面雕刻着飛獅。

（七）鐘塔建於一四九六年：最上層有鑄成的兩個毛爾族

的巨人用鎚打鐘。

（八）公爵府的廊上有亞當與夏娃的銅像分立左右，形態生動，乃勒曹（A.Rizzo,）的傑作。

街心的舞蹈

（一）

迴旋：疾風的翻轉，輕雲的流連。
花裙下飛不起一撮塵土，
流浪生命再來一回旋律。
生命的旋律攙合着平原，密林中的
荒涼，雄壯。
大河吞沒了落日，幕上的青烟。

（二）

這裏：道中騰漲着瀝青的油污，汽輪壓窒了氣息，
掙扎中誰曾記起故國的榮華！
暗夜，星光反映着火把上一團青花。
小山上不眠的牧羊人吹起銅笳——
淒咽，
幽沉。
當前只有紅怪車的蠕動，大城中的霧雨。

（三）

獻與自然，喜悅在舞躍中傾瀉，
清晰的影：火光，山林，原野。
於今學步在昏黃的十字街頭，
一個辨士，從人人臉上贏得出笑，喝！

(四)

生活永遠是一個風暴中的浮漚，
誰能在升沉中拴得住時間的鐵手？
朋友，你不要信命運能黏合住你的身世，
鐵手却不會掏空了你的氣力。

（五）

你要問問古國中的山嶺與峽谷；
你要問問大野星光，蘆葦，叫響的樹。
沒曾在曠放中把記憶丟失，——
天涯去，永遠有流浪中的歡喜。

（六）

吉卜西，流浪羣，旋風似地身姿，
一根花羽，一把短劍，揮搖着過去的詩意。
來，再加一套潑剌有力的轉舞。你想：

（有一身藝人的驕傲，會看輕冷眼下的顫慄！）

一九三四，十一月，倫敦。

雪萊墓上

東風吹逗着柔草的紅心，
西風咽沒了夜鶯的尖唱。
春與秋催送去多少時光，
他忘不了清波與銀輝的盪漾。

牆外，金字塔尖頂掛住斜陽（一）。
牆裏，長春藤蔓枝靜靜地生長。

一片飛花懶懶吻着輕蝶的垂翅，
花粉，蘸幾點青痕霉化在石碑的苔旁。
安排一個熱情詩人的幻境：遠寺鐘聲；
小窗下少女織夢；綠蕪上玫瑰嬌紅；
野外杉松低吹着淒清的笙簧；
黃昏後密葉間篩落的月影曳動輕輕。

雪萊墓上

『心中心』，(二)安眠後當不曾，感到落漠。

一位叛逆的少年他早等待在那個角落(三)。
左面有老朋友永久的居室,
在生命中那個心與我們詩人的合成一顆(四)。

『對於他沒曾有一點點的損傷,
忍受着大海的變化,從此更豐饒,奇異。』(五)
墓石上永留的詩句耐人尋思,
墓石下的幽魂也應分有一聲合意的歎息?

詩的熱情燃燒着人間的一切。
教義的鉄箍，自由的索練，
慾的假面，黑暗中的魔法，
是少年人都應分放在健步下踏踐。

他們聽見了你的名字（自由）的光榮地歡榮。
　正在清晨新生的明輝上
　超出了地面的羣山，
從一個個的峯尖跳過（六）。

上墓萊雪

97

「不為將來恐怖，也不為過去悲苦。」
長笑着有『當前』的掙扎。
拏得住時間中變化的光華，
燦爛中撒一把金彩的飛雨。
美麗，莊嚴，強力，這裏有活躍的人生。
一串明珠找不出缺陷，污點，
窟洞中也能照穿黑暗，

人生！——逃出窟洞，纔可見一天的晴明。

愛與智慧，雙雙躡逐着詩人的身影，
擀脫了生活枷鎖；熱望着過去光榮。
是思想爭鬪的前鋒，曾不回頭
把為熱血洗過的標鎗投在沙中。

上墓萊雪

「水在飛流，冰雹擲擊，

夜行集

電光閃耀，雪浪跳舞——
離開吧！
旋風怒吼，雷聲虢虢，
森林搖動，寺鐘響起——
離開而來吧！』（六）

『去吧；離開了你，我的祖國！
那裏，到處是吃人者奏着凱歌，
我們一時撕不開僞善的網羅，

100

過海去，任憑着生命的飄泊。

『南方——碧瀲瀲遠通的海波，曾經
因戰鬥血染過的山，河。古城裏
陽光溫麗，——陽光下開放着
爭自由的芬芳花萼。』

生命，他明白那終是一片彫落的秋葉，
可要在秋風舞蹈中，眩耀着

春之鮮麗，夏之綠縟，——不滅的光潔，
纔能寫出生命永恆的詩節。

司排資亞的水面，一夜中
被悲劇的尾聲換掉了顏色(七)。
漩浪依然為自由前進，
碧花泡沫激起了一個美髮的詩身。

去吧！

生命旋律與雄壯的海樂合拍。
去吧！
是那裏的晨鐘遠引着自由的靈魂，依歸？
抱一顆沸騰心，還讓牠埋在故國，
大海，明月，永伴着那一點沸騰的光輝。

我默立在臥碑前一陣悵惘！
看四方一攢樹頂拖上一捲蒼茫。

雪萊墓上

沒帶來一首輓歌，一束花朵，
爭自由的精神，永耀着——金色中一團霞光。
牆外，金字塔尖頂掛住斜陽，
牆裏，長春籐靜靜地生長。
守墳園的少女，草徑上嚶嚶低唱，
「這是沒了心的詩人化骨的荒場。」

一九三四年春在羅馬。

雪萊墓上

(一)距雪萊埋骨的墳園不遠，有一磚砌的金字塔式的建築物，
乃紀元前羅馬將軍賽司提亞司(Cestius)的大墳。

(二)雪萊墓石上第一行字的刻字。

(三)英詩人克莰亦埋於此墳園中，他比雪萊早死一年。

(四)雪萊墓左側是雪萊的友人屈耐勞(E.J. Trelawny)的墓，他
在一八八一年死於英國。他的墓石上刻着——不要讓他們
的骨頭分開，因爲在生命中他們的兩顆心合而爲一的話。

(五)雪萊墓上刻着莎士比亞戲劇風暴中的成語。

(六)略取雪萊詩集中的語意。

(七)雪萊於一八二二年溺死於司排資亞(Sepzia)。

九月風

——在波蘭原野的黎明中——

九月風，吹醒旅客的熱夢，
早窗外還沒有撲起大野飛沙。
清清小驛，——
燈三兩點，映耀着黎明的光華。
矗立於曉色朦朧中是木教堂尖頂，

一下晨鐘，——
悠揚的沉響隨和着鐵輪鎝鏜。

飄一根孤蓬劃破魚肚色的空間，
向晨星旋轉去問陌上秋家。

太飄零麼？——
大道旁沈默不動的有孤傲的白樺。
是遠，是近，一帶長林捲起一層淡霧
霧中人影，——

晃動刺刀的微光，向上去迎着朝霞。

這古國不是重生了麼！
大戰前是異族刀鋒下的食瓜。
獄囚，生活的鎖枷，逃亡與密謀，
爲反抗，他們不曾辜負了『江山如畫』！

這古國不是重生了麼！
歷史上再沒有波蘭亡國的舊話。

血與力澆遍了田園，森林，到處揮發，
他們在顛播中找到了復明的燈塔。

這古國不是重生了麼！
詩人們不再在流浪中回念秋原的家，
更不須提防着鐵騎巡行，
他們能高唱『爭自由的波浪』變作飛花。

這古國不是重生了麼！

北方的鷹斂翼在高峯上自築堅巢，
南方巨蛇還沒把餓腸充飽。
這時候她可在蘇醒中等候黎明來到！

銅號纔叫起悲壯的協音，
天明了，號音飛度過秋郊，楊林。
露點沾濕了牛乳女郎的花巾，
鎗尖旁彎下一個剛健柔和的腰身。

是啊，這是鐵軌旁嚴重的邊關，
他們的鎗尖上都指明民族的猜嫌。
有一天血的浪潮重行翻起，
牛乳女郎的足下堆骨如山！

是興亡曾沒丢開那一套的連環，
解得開這永久的環扣纔是人間！
是人間，誰不盼望和平與繁榮？
歐羅巴大野可早已佈滿了未來的硝烟。

可是徒然感歎怎能擋得住刀尖飛彈？
爲民族的自由不必問哲理幽玄。
當前，當前，誰能咽得了爲奴的悶氣！
……看當前！那裏是我們的江山！

西方，多少瘋狂了的國家爲勢力紅眼。
我們呢？早已是前身的波蘭！・
故國啊，那裏沒被敵人的鐵騎蹴踐？

……那裏沒埋了碧血成灣？

九月風，早已搖起了黃海的飛瀾；
九月風，透過旅車的明窗
在北歐邊塞上吹透我們的衣單；
九月風，盼望你吹動故國人每個的
靈魂驚顫！我們記得啊，——
我們的地方已成了前身的波蘭！

一九三四年秋波蘭車中記稿，一九三六年七月重寫。

你的黑手

土塊，——生力從地下迸發，
一絲的春風催動了新芽。
那一天會辜負了辛苦的掙扎？
你的黑手，土堆中要培出「空花」。

昨夜來一場暴雨，
土塊把生機黏住，

新芽向地底下逃生，
你的黑手，在土堆中拏一把空虛。

「要細雨，甘雨，與平和的雨呀！
過度催迫，性急生不出「結力」。
在這裏，調順着風雨終有希冀，
這一回，你的黑手能去挽回「天機」？」

狂暴的恩惠會引起善人的詛咒，

只有春風餬不了一天的餓口。
這世界，反常的事不大希奇，
再一回，你的黑手，可能握住風雨的節奏？

一九三五，五月。

星空下

狂飇在海抱裏調勻了呼吸，
幾個知了，密葉中間狂叫着鼓翼。
沒有一星火，一點動，一陣風雨的先機，
高噪着繁音，徒勞暑夜的歡喜！

從那裏來？一線流星向遠空閃去，
耀光滅了，只餘下散立的羣星互相呆視。

是呀，給予的和平，沈靜，瀰漫在中夏夜裏，
悶熱如冶鑪中，覺不出一絲涼氣。

不錯：這裏有繁生的交枝，溢漲的清池，
還有，暗空中點點星光反映淪漪。
但是夜深了，還沒見黎明的昡光，
黎明來，不會風雨掩沒了晨曦？

莫再說時間之『運命』的馳逐。

在這古老地方，迷夢中織着黑絲，——
那一夜？夢裏黑絲變成一個無邊的絡網，
網住羣星從空中撒一陣光明雨。

一九三五年，中夏。

誰能相信是快到了垂暮的時光

誰能相信是快到了垂暮的時光？
煩躁，酷熱；還有鳴高的『知了』
曳着輕鬆的殘聲，低吟，緩唱。
塵土，垃圾汚濁了一片清漪，
詩人們說這是『天光雲影』的池塘。
抖一身濕汗，笨牛在疲倦中臥倒，
直瞪着火彈的夕陽，肋骨裏喘脹。

連根焦乾着，陌頭小草失去了綠潤，
黃昏後還不敢望盼晷夜的天漿。

倦弱，鬆弛，人人都喪失了氣力。
平靜中，病菌到處散佈。
飲一盞狂藥還支持痛苦，
臨危時的掙扎，——和平呀安息！
不如分一口長眠水死也含了笑意，
或是焦躁的中夜突然窒閉呼吸。

誰能相信是快到了垂暮的時光

他們認爲是天命神奇，
自然不怨一聲天與不盡的人力！
不是？生命的焦苦在天秤上
稱一下分量，比較着剎那的死趣！

就是夕陽也沒曾有無限好意，
這古原上快展開黑暗的大翼。
遮住田野，森林，與毀滅的人家，
但憑下墜的惡魔馳逐，搏，噬。

誰能相信是快到了垂暮的時光

那時：星星閉了眼，銀河再沒有水滴，
火災摧燒着乾枯的土地。
也許血光會代替了明燭，
古原上閃耀着——屍骸暴露。
那時，惡魔猙露出尖齒，
「該死的，不爭氣的古老生物！」
還餘下病菌，刀，火，沒害死的嬰孩，
屍堆血泊中沒把生力長埋；

也沒曾經過天秤上的稱量，
疲倦，煩苦，沒在他身上長了根荄。
恐怖，憂傷把前一代的人安穩送葬，
生活的畏縮與忐忑，計算着輕微的樂，哀。
那時：災害能饒恕了他們的美德，
惡魔笑他們在生之秤上自己的毀壞。
像一粒乾裂土地下的新種，——
羣葬後，還盼望一個生命胚胎。

誰能相信是快到了垂暮的時光

誰能相信是快到了垂暮的時光？
沒有鷄鳴，沒有風動，
黯淡周圍，平靜湮滅了希望。
被踏平的小草低聲凄歎，
冥色中一聲鴟叫，——慘厲的憂傷。
密雲包裹着毒菌暗漲，
怪異的魔影橫阻住林，野，山岡。
等着！等着！衝過凶夢的此夜茫茫，
還餘下沒害死的嬰孩撫着創傷！

125

枯草

枯草先收容了春暖，能從根發，
泥包的藕莖，活水中抽出柔葩，
一絲柳最難忘霜秋葉脫的凄涼，
到時候，嫩枝上却展開小眉的逗角。
是弱根經不起雪，霜，——種，芽，凍碎，
縱有一片沃土永不得春風的回向。
只要有一點點『靈根』——生機中潛藏，

力與能，——時季的調節會運行着「弛，張」。

生機在那裏，這人間徧是偷懶的活該，
有日「升谷，沈陵」，還自娛着夢中的世界！
讓他們自然地偶生，自然滅盡，
甚麼心情，引動你無聊的悲歎與發傻的愉快？

命運？——挨過嚴冬，還盼望春陽重來，
一春風雨，生機的縫裏長滿了莓苔。

逗角，柔葩，毫沒餘力向上展發，
等着麽？在隣家的花園中虛眩光彩！

八月十八日。

來客

黑影嵌進了迷瞪着小眼睛的紗窗，
輕輕，——街頭黃昏後的提琴飛響。
一層淡青的薄暈從四周擠到身旁，
絃音淡漠，把薄暈劈成柔絲輕漾。

我來了，這是你自由沈思的時候，
讓我穩穩地壓上你的心頭。

薄暈散開，調和着絃音淸幽，
　挑起了藏在你心底上的哀愁。

無盡的哀愁失去了平準，
　安排着與那些枯葉們相仝的命運。
那來客空自有顫慄餘勁，
　他們，——呻吟着幻滅的悲吟！

忽然掃一陣驚秋的風雨，催寒，

把幻想哀愁都碾成輕烟。
這時間只能給你急切地聽看，
黑影去了，誰與你空費纏綿？

一九三五，初秋。

咽下一杯烈酒的毒汁

（一）

清愁，秋湖上澹斂起一片寒烟。
烈酒，是一撮晶鹽向沸油的鍋中投入。
生活本來是生成一的張——輕輕撒下
又緊束着收起的密網，
牠納不下朦朧的寒烟與被化的鹽粒。

（二）

我們抓不住那飄颻的愁絲，
我們也不能用力咽下一杯烈酒的毒汁？
網呀，——我們只是忍心撒下與匆匆收提，
牠向人生張開了無數的窬眼，
從那裏吞吸了悲思，吐露了歡喜！

（三）

淡了寒烟，化了鹽粒，
那漠漠的呢？那亮晶晶的呢？
只不過一口鹹水咬住網絲。

眞麼？人人在尋求幸福的敎義，

在那裏是『快活，激動，末後加上忘記？』(一)

(四)

三幕的喜劇說人間時時塗變了顏色，

是 Epicurean ？還是 Stoic ？(二)到頭都不過在增強遺忘的否定藝

術。

『佚我以生，勞我以死』(三)，佚與勞中間，有一條修長的夢之路，

誰能飛過滅沒了行迹？

(五)

咽下一杯烈酒的毒汁

為在這條夢之路上把足迹深深印入，
雖然是玩一套否定藝術，也要有相當氣力。
投身在鹹海的網中，誰曾管烟寒味苦。
我們抓不住那飄颺的愁絲，
我們也不能用力咽下一杯烈酒的毒汁！

（一）英人（C.Pougs）所著幸福的藝術中之主張，在此引用另作解釋。
（二）快樂派的與克己派的。
（三）見莊子。

融冰

野塘水底早將柔力收容了春陽，
一片冰鏡，裂紋中似迸出春花薄樣。
漸漸的散了，漸漸的淡了，
脫卸風雪的枷鎖，
融冰，牠第一個想把溫柔的春訊盡力傳揚。
是土地上的生物重醒的時候；

節令不曾濫用牠的大手，
扇一把春風把寒威逐走，——
來呀，在未來，我們有同歡的舞蹈；
萌芽的歌頌；狂醉中忘我的曲奏。

在未來，柔綠波痕可釀成春酒；
在未來，波上輕烟可裁成『愛人』衣袖；
在未來，水面飛花有文章的『幽趣』；
在未來，一泓清流，模糊了，

夜行集

過來時怎樣會凝結成力量與苦寒搏鬪！
是一個人生誰不會作春醒的扮演？
又誰願甘心常戴着呵寒的假面。
未來，未來，我們要追逐着再一度的青年，
那心情燃燒着，再吻一回春波的柔顏。
青年，柔顏，難忘的是這片冰鏡的化迹，
牠不會對時季温，涼，與美，醜做過偏護。

138

試試融成春波前的冬流的分量，
這片冰鏡最能探出每個人的脚步。

希望在冰鏡上遙投着幻影，
幻影，——在未來醞釀新的生命。
沒有過去堅凝的合力，
野外寒塘留露珠般的水滴。不

冰　融

為預備未來的歌頌與狂歡，

139

對冰鏡，你要再一度照照你的顏面。
不須儘作綠波輕煙的佳夢，
當前還有凜冽變化的春寒。

重復一個嚴冬把冰紋收起，
讓春醒待到炎炎的夏日。
歌頌，狂歡，悶在胸頭罷何須性急，
我們情願在冰鏡上多戰兢些日子！

一九三六，二月。

失了影的鏡子（散文詩）

一個迷霧瀰漫的清晨，他起來照着鏡子。

照照看，一個無所有的虛空，在其中失去了他自己的影子。他自然是十分驚奇！試驗着把鏡子映在室內室外的一切東西上，那些反影都清晰地照出來。

再把自己的面容對準那個圓鏡，仍然，甚麼東西也沒有。

他跳起來了，茫然地凝想：『據說人沒了影子是把魂在甚麼地方丟掉了，怪！自己爲甚麼丟掉了靈魂？而且是在甚麼時候與甚麼地方丟去的呢？怎麼開首去加意尋找？否則……」

於是窗外每早上豔開的花與爭着叫的雀兒，他在這個時候中看不清，也聽不到。漸漸有些眩的星在眼前跳舞，耳朵中一陣亂響，他搖搖頭，頹然地坐下！「失掉了靈魂，自然快生重病啊！」

有人敲門。

即時一個披了白髮，傴僂着身體的老人走進來，他彷彿認得那是他曾經看不起與訕笑過的老人的一個，於是他悚然了！覺得這預知的「老妖巫」定是曉得了自己的祕密，來乘時報復的。一口冷氣在胸前停住，可是右手中的鏡子還沒捨得放下。

老人在他的身旁慘淡地微笑，絕沒有報復的樣子，並且歎口氣，說：『你知道麽？你的影子走失了，牠早已跑到我那個模糊的有裂紋的老鏡子中了。不要以爲我願意，——一個老鏡子中忽然添上另一個的人影，這對於我是一種煩擾與損失。以前的事無庸留在記憶中了；你知道老年人最怕的是回想。……但，現在請你設法把你的影子取回來，至少，這樣我可獲得我的安慰與平靜！去罷，你這個恍惚的人，到我那裏去把影子取回，否則我要把那個老鏡子摔碎。我不需要影子了，可是你的呢？從此可再找不到了。

仍然慘淡地笑着向外走去，白髮在窗外閃着銀光。

他把鏡子無力地放在顫顫的膝蓋上，心幾乎沒從口裏迸出來。

又一次的敲門聲。

他重復怕起來！想，如果是老人再回來，馬上便須隨他同走，取回在那個老鏡子中的自己的影子。

但這次進來的却是一個短髮的童子，迅疾的跳步鑽到屋裏來，活潑與新鮮的姿態與他相對。

『聽說你把影子丟了，你要向那裏去找呢？我有一個鏡子，向來沒見過自己的影子的，可愛的鏡！我不顧慮我需要一個任何樣影子的。那是潔淨的一個明鏡，無論你要不要你的舊影，但你可以用牠，

失了影的鏡子

一定照得出你以爲新奇的事；也許，你用牠可以找到你往日的影。這是一件需要試驗的事啊！你知道，你可以到我那裏取了來。』

『似乎是共同的詭計吧？』他想，然而那童子立時跳躍着跑走了。

他的身子還沒等得站立起來，一陣抖顫，連他自己所有的空鏡子也掉在地上摔成碎片。

一九三五年，中夏。

夜行（散文詩）

夜間，正是蕭森荒冷的深秋之夜，羣行於野，沒有燈；沒有人家小窗中的明光；沒有河面上的漁火；甚至連黑沉沉地雲幕中也閃不出一道兩道的電光。

黑暗如一片軟絨展鋪在脚下面，踏去是那麼茸茸然空若無物，及至撫摸時也是一把的空虛。不但沒有柔軟的觸感，連膨脹在手掌中的微力也試不到。

黑暗如同一隻在峭峯上蹲踞的大鷹的翅子，用力往下垂壓。遮蓋住小草的舞姿，石頭的眼睛，懸在空間，伸張着牠的怒勁。在翅子上面，藏在昏冥中的鋼嘴預備着呑蝕生物；翅子下，有兩隻利爪等待攫拏。那蓋住一切的大翅，彷彿正在從容中煽動這黑暗的來臨。

黑暗如同一隻感染了鼠疫的老鼠，靜靜地，大方地，躺在霉溼的土地上。周身一點點的力量沒了。牠的精靈，牠的乖巧，牠的狡猾，都完全葬在毒疫的細菌中間。和厚得那麼毫無氣息，皮毛是滑得連一滴露水也沾濡不上，牠安心專候死亡的支配。牠在平安中散佈這黑暗的告白。

羣行於野，這夜中的大野那麼寬廣，——永遠行不到邊際；那麼平坦，——永遠踏不到一塊犖确的石塊；那麼乾淨——永遠找不到一個蒺莉與棘刺刺破足趾。

行吧！在這大野中，在這黑暗得如一片軟絨，一隻大鷹的翅子，一個待死的老鼠的夜間。

行吧！在這片空間中，連他們的童年中常是追逐着脚步的身影也消失了，沒有明光那裏會有身影呢。

行吧！需要甚麼？——甚麼也不需要；希望甚麼？——甚麼也不希望。昏沉中，靈魂塗上了同一樣的顏色，眼光毫無用處，可也用不到躭心，——於是心也落到無光的血液中了。

也還在慢行中等待天明時的東方晨星麼？誰能回答。不知聯合起
來的記憶是否會被踏在黑暗的軟絨之下？

回聲（散文詩）

他爲尋找甚麽是在詩人心中的秘密與光明，走過了許多地方。

繁盛，囂雜的大城，冷靜，幽僻的村落，沒人到的峽谷，不見天日的密林，溫暖的田野，峭立的山峯，凡是他用脚踏過的地方，與眼看到的耳聽到的一切東西，他都加意而眞誠地去尋求過。

辛勞繩的索縛住他的身體，憂鬱的網包絡了他的精神，但是詩人心中那兩個偉大的意境呢？他沒曾找到。

在各處的旅途上他開始詛咒着詩人；又詛咒着自己受詩人伶俐的

欺騙，受盡苦惱，却又化費去人生本來的很短很短的光陰。

他漸漸失望了！

有一天正當秋初。

疲乏不堪的脚步，在薄暮時，把他拖到一處靠着羣山的沙灘上。沙灘的下坡展開在眼前的是一片淡墨色而起伏着銀線的温柔海面。她也一樣是在疲乏中躺着休息，經過火灼般盛夏的陽光，經過劇烈的風暴，——薫蒸與顚盪，還有地母的喘哮，雖是有寬廣胸懷的她在這個平靜的黃昏中，如同一個善於競技的少女當用力掙扎後，只能張口伴着輕鬆的呼吸。

山頭像奇偉的巨人，叢樹便是他的垂髮，把有力的拳頭抱在胸前，靜默中低頭注視着這倦臥的少女。要待她的氣力恢復時，醒過來，張開臂膊，緩緩地起立，到時候，巨人與她便有了接吻的機會。

偶然有幾個大的樹葉飄然地從巨人的前額上落下來。微暗中閃出大樹葉背面的白光，投到她的正在起伏的銀線上，那無疑是巨人的熱淚點濕了少女的胸衣，雖然不過是幾滴的輕淚。

我們的辛苦尋求者，脚雖陷在鬆柔的沙中，然而他的心却似乎要躍到雲端。這時他忘記了疲勞，忘記了失望，忘記了對詩人的詛咒與自己的被人欺騙，同時，淚暈翳障了他的目光。

「啊啊！這不是詩人心中的秘密麼？這不是秋之葉傳遞着他們的秘密消息麼？……」

如散珠的星星在空中映映俏麗的眼睛。那輕輕吞蝕着沙岸的柔波發出無數的細響。

「是啊！詩人的秘密在這裏，由秋之葉傳遞着消息。」

「是啊！詩人的秘密，……秋之葉傳遞着消息。……」

那是達到他心中的回聲，他分外的歡喜了！凝望着這秘密的夜幕，兩隻脚更用力在沙中踹下，細的沙粒已遮沒了他的脚面。

但他不覺得。

『偉大啊，偉大的詩人心中的祕密！但這只是祕密，我不是還要等待着見詩人心中的光明麽？……』

他希求着低說，又像頌禱。但又一陣回聲從他的周圍喃喃地叫起來：

『等待，等待！今夜中的風雨，還有無數的閃電。……等待，等待！閃電中他們的接吻。……』

他恍然了，再用力向下踏去，細沙已陷沒了他的膝蓋。

他毫不煩苦地等待着。他說：

『只是找到詩人心中的光明吧！……』

無量數的回聲從每個沙粒中喊出：『等待，等待！只是詩人心中的光明吧！』
『等待，等待！只是詩人心中的光明吧！』
他不自覺地把腰部也陷於沙堆中了，然而他還有有力的雙手在空中舞動，彷彿是在指揮那合於韻律的回聲的節奏。
一切都在暗中了，只餘下海面上的銀線與山頭上下墜的大葉子背面的白光，輕輕地動，輕輕地隱，閃。
星星也輕輕地向他散射着同情的光輝。
每個沙粒輕輕地發出回聲：『等待，等待！只是詩人心中的光明吧！

『等待，等待！只是詩人心中的光明吧！』

二十四年，八月。

苔語（散文詩）

經過一夜的密雨，凄涼的秋氣已遍佈在這欲冷的空間。黎明時，牆角上一叢垂敗的秋海棠，獨掬着破臉的泪痕，在蕭瑟中打着寒顫。那粉嬌的色澤，明豔的姿態，與原來是輕弱的身體都在向命運的懷中預備沉沒了。但織秋的風雨毫不容情，似乎空中的飛葉與被摧打的柔枝尚不足發展牠們的威力；似乎必須把這一叢的秋花揉折淨盡，方能顯示出牠們的無私與正義！

圓尖形軟刺的綠葉下有一團青苔，自從夏天的陰雨連綿以來，牠們在土地上生長着，低低地，柔柔地，像是本無根蒂的東西，却在厚潤的土上堅固地附着住。秋來，牠們不曾感到荒寒；熱天，也顯不出分外的驕傲。沒有姿態，沒有興趣一般地活着，但是獨有色澤却那麽明耀動人，嫩青，深碧，在園子中，在簾痕前面，在陽光的輝煌與皎月的銀流下都能見出牠們的嚴肅沉靜的色澤。——那是色澤，却不是老氣的態度，永遠有着青年之朝氣的色澤，也正因爲是有生發映目的青碧的光輝。

經不起秋海棠在失望中乞求的悲啼，髣髴像沒了靈魂的張惶樣子，青苔在密雨中向上吐一口氣。

『我們來埋葬你的屍體吧！既然經不起秋力的破壞，何必乞憐呢。』

『呵呵！我將失去了我的美麗的身體，——不，美麗的生命！』秋海棠哭着說。

『可是你有一個美麗的死亡。』青苔淡然地答復。

『求生於美麗中是一切生物的鐵律，死亡是悲劇的結束，誰能情願？』

『你這不達於現在，更不能懸想於未來的美人。你不懂那個古老的故事？那雪色斯終死於水，就因爲他愛照他的影子的關係。不是？

「稀有的，散在的，難於捕捉的」這類玄想纔恰合於你與你的美麗同伴們的生活律！也因爲你們都在這類玄想外衣的裏面求美麗的生存，於是你們講神態了，講姿式了，講更難捉摸的風味。是，我們也知道這其間確有美的存在，不過你們沈醉於理想的創始，而忘却了生存的力，——不是忘記，而是發展的傾入別途。可是既然縱情於多姿的美麗之生存，便不必爲美麗的死亡耽心！」

秋海棠默然不語，在雨絲中震顫得分外利害。

她善於回想，她最苦惱的是往日可珍愛的記憶，她對於命運太悲憫了；其結果自身在悲憫中無望地掙扎着。不久，在秋風雨中漸漸地俯到青苔上面了。

她聽從青苔的告語麽？但最明白的是她會沈醉於美麗的生活，而不曾了解美麗的死亡，然而造就這份命運的是她的自身，因爲她沒有更多的生存的力。

青苔在清冷中迎着灑落急打的雨點，牠們的色澤愈見光耀。敗葉，飄蓬，正在被冷風吹亂的時間，這些似無根蒂的青苔低低地，柔柔地，却不爲秋力摧動。

牠們沒有搖動的華耀，所以也沒有飄泊的憂慮，正是由於牠們的層集，密附，不是輕薄，不會分散的緣故吧？

一九三五年，十月，在青島。